RAVEL

ŒUVRES COMPLÈTES POUR PIANO

1

라벨集

Sérénade Grotesque 그로테스크한 세레나데
Menuet Antique 고풍스런 미뉴에트
Pavane Pour Une Infante Défunte 죽은 왕녀를 위한 파반느
Jeux D'eau 물의 장난
Sonatine 소나티네
Miroirs 거울

Edited, Revised and Finger
by
YOSHIKI MORIYASU
Commented
by
MOTOYUKI TERANISHI

태림스코어

SHUNJUSHA PUBLISHING COMPANY, TOKYO, JAPAN.
Useable rights of the edition reserved by
SHUNJUSHA PUBLISHING COMPANY.
The useable rights for Korea assigned to
TAERIM PUBLISHING COMPANY, SEOUL, KOREA.
This publication has been authorized for sale only
Korea through HYE-CHEON ENTERPRISE CO., LTD.

Table des matières

Sérenade grotesque
그로테스크한 세레나데

Menuet antique
고풍스런 미뉴에트

Pavane pour une Infante défunte
죽은 왕녀를 위한 파바느

Jeux d'eau
물의 장난

Sonatine
소나티네

Miroirs
거 울

1) Noctuelles 나방

2) Oiseaux tristes 슬픈새

3) Une barque sur l'océan 바다의조각배

Page 68

4) Alborada del gracioso 어릿광대의 아침 노래

Page 84

5) La vallée des cloches 골짜기의 종

Page 97

Sérénade grotesque

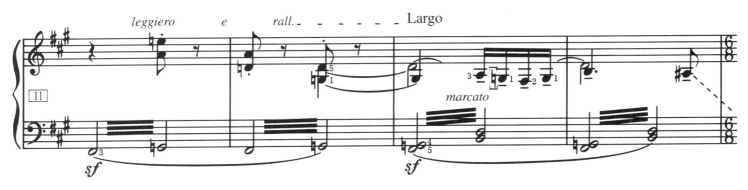

Menuet antique

avec la sourdine

Pavane pour une Infante défunte

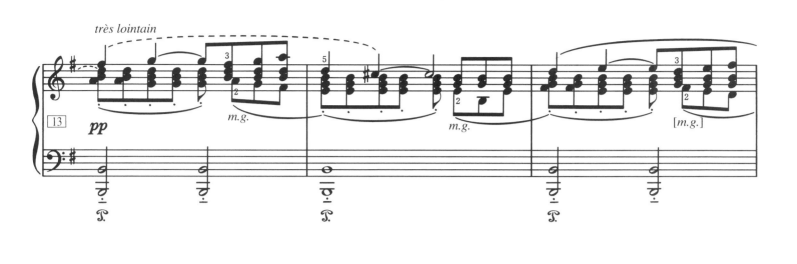

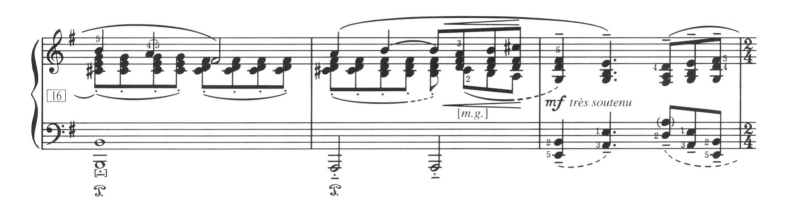

1er Mouvement

marquez le chant

Jeux d'eau

Dieu fluvial riant de l'eau qui le chatouille... *
Henri de Régnier

28

2 Ped. jusqu'au ✻

[✻]

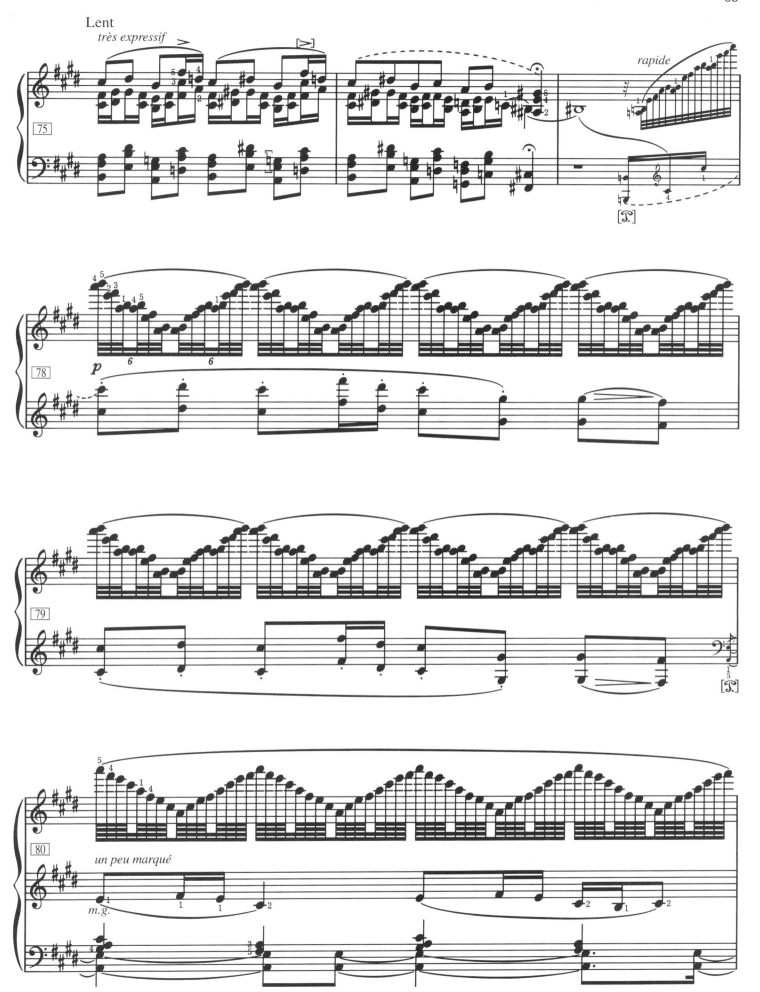

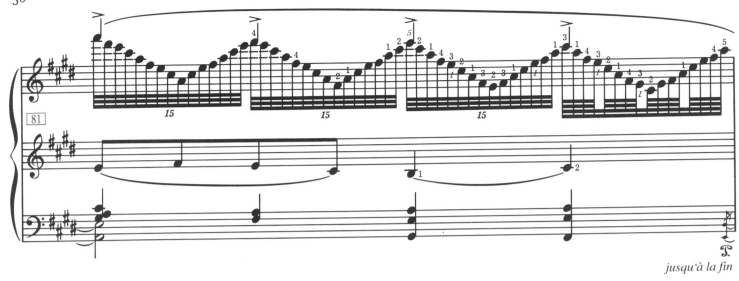

jusqu'à la fin

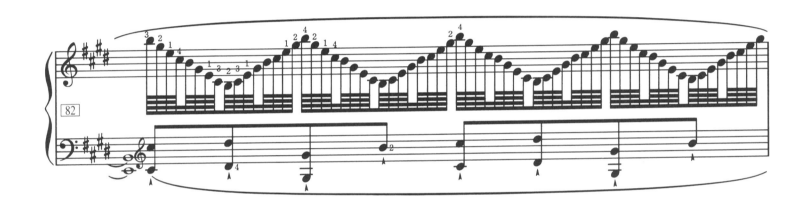

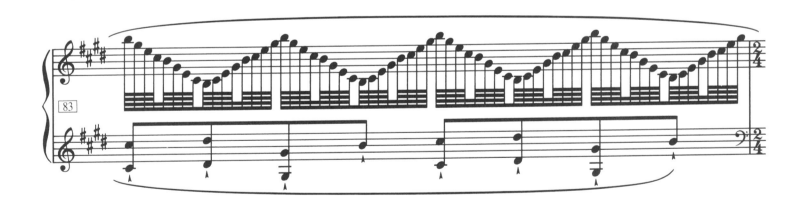

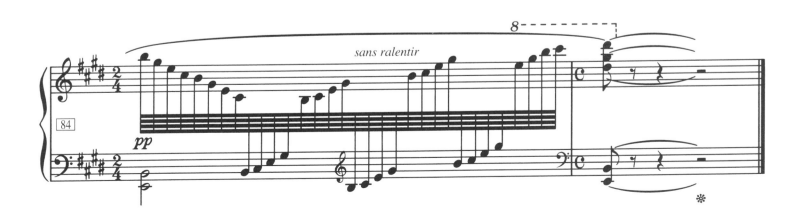

Sonatine

I

Modéré *doux et expressif*

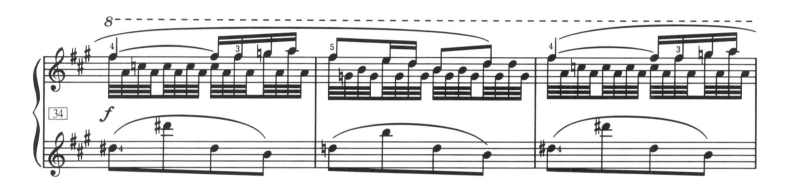

II

Mouvement de menuet

III

Miroirs

1. Noctuelles

2. Oiseaux tristes

3. Une barque sur l'océan

D'un rythme souple (♩.=58 environ)*

pp

très enveloppé de pédales

en dehors

* 라벨 자신이 오케스트라용으로 편곡한 스코어에 의해 메트로놈을 표시함.

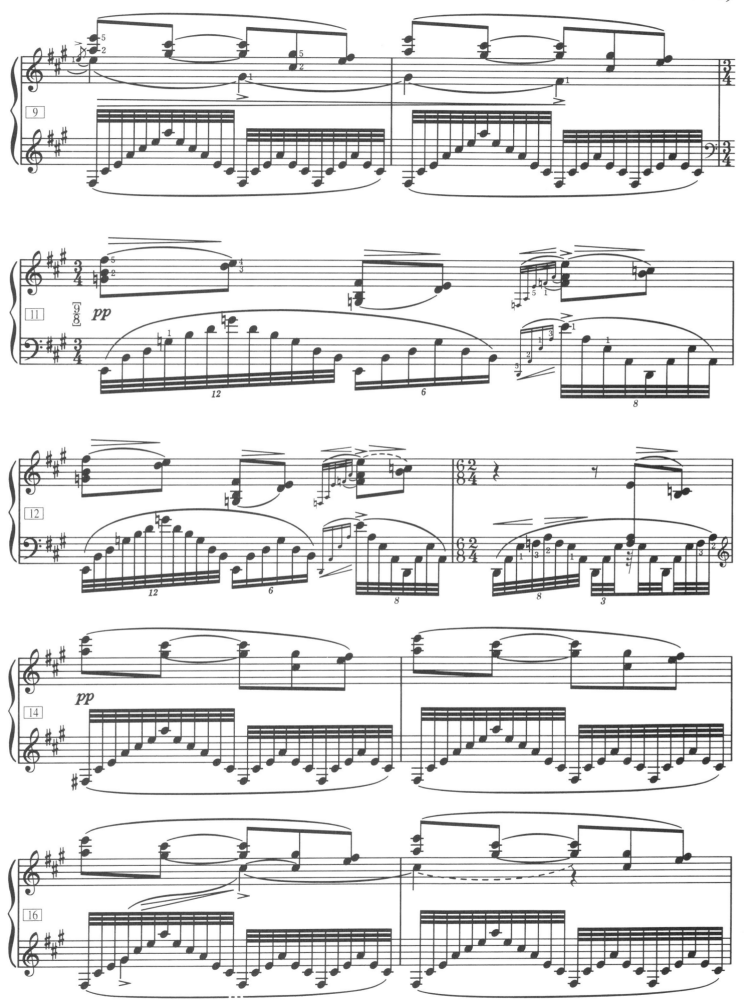

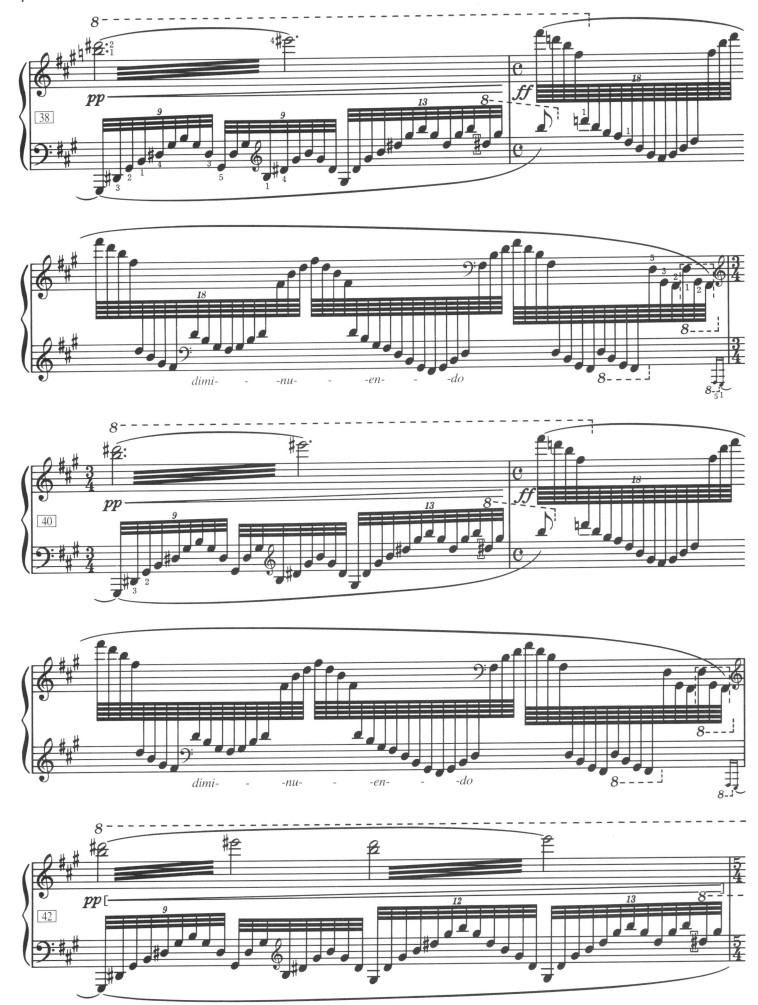

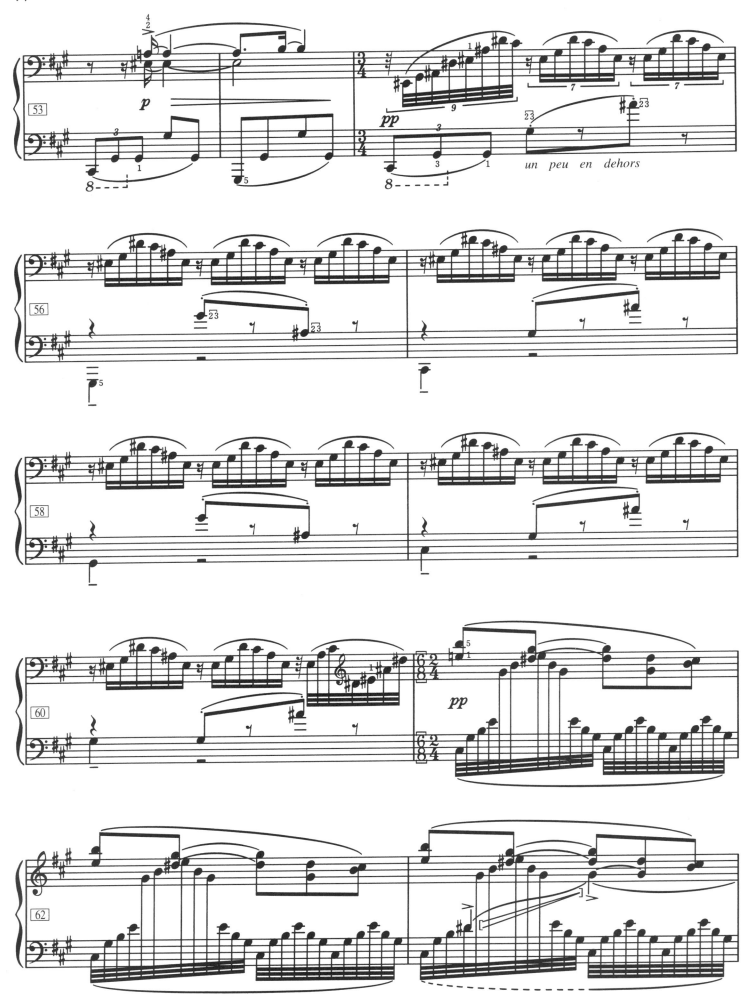

un peu en dehors

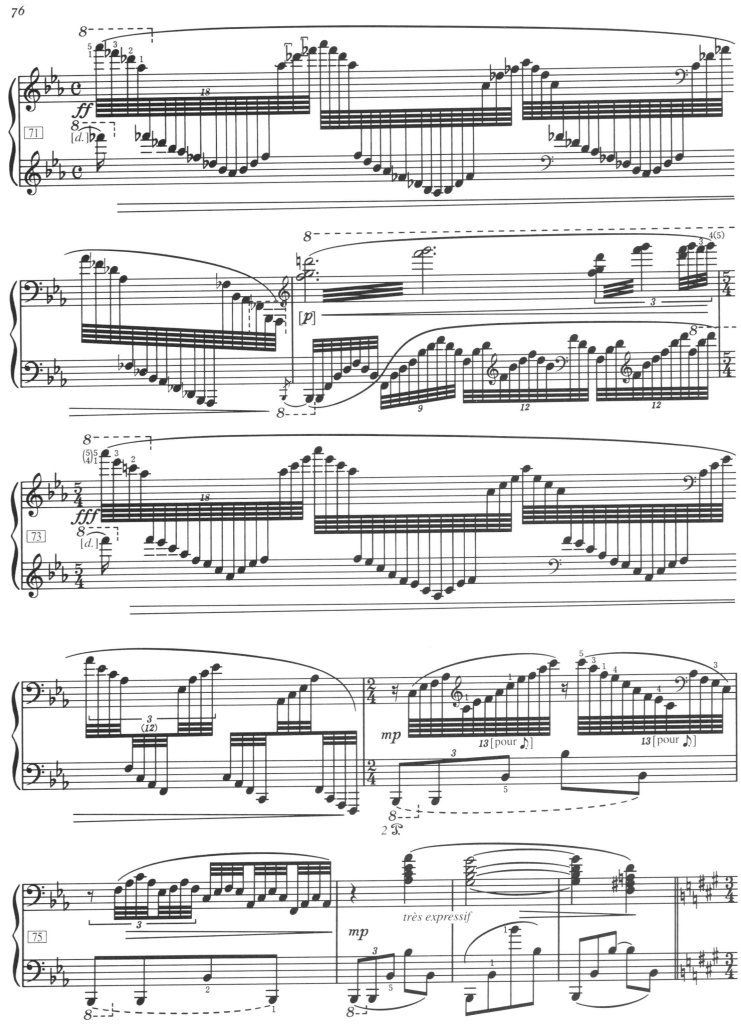

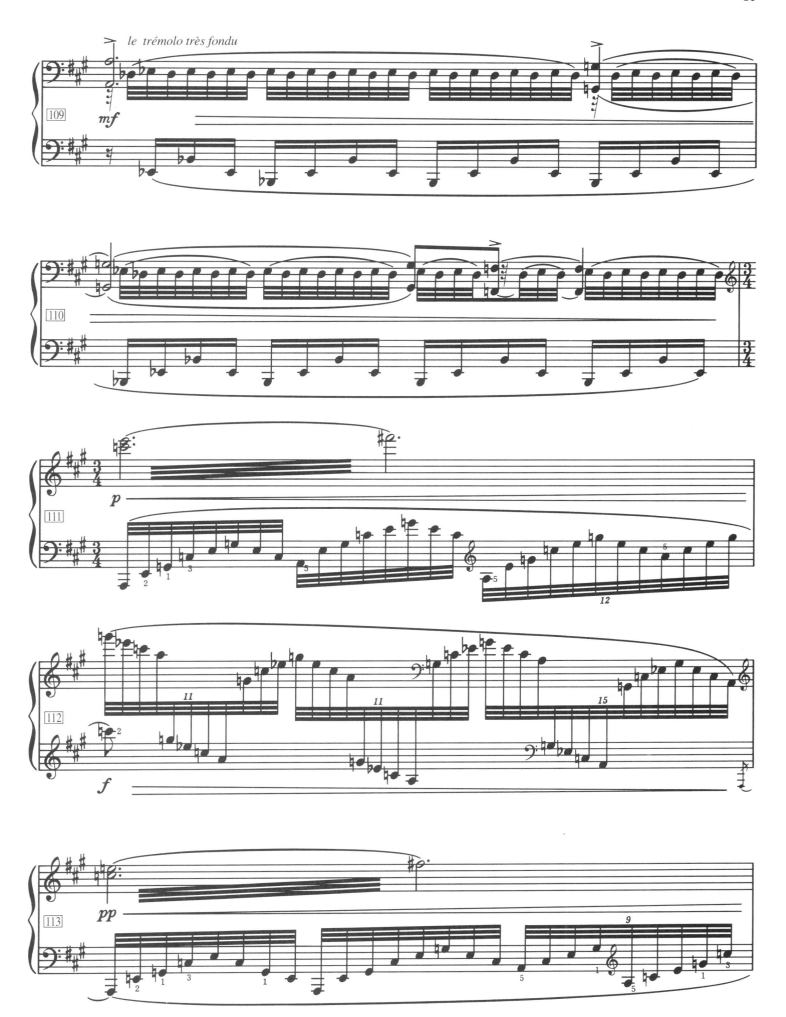

4. Alborada del gracioso

Assez vif ♩.=92

mf sec les arpèges très serrés

1er Mouvement

5. La vallée des cloches

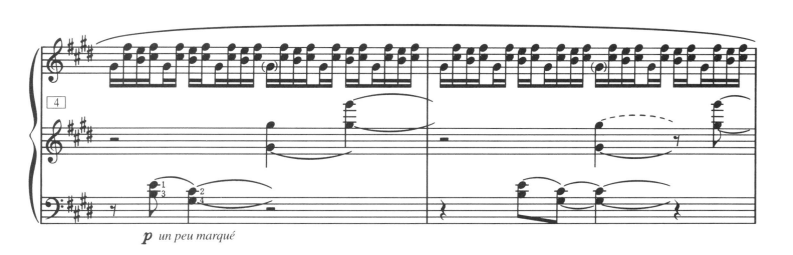

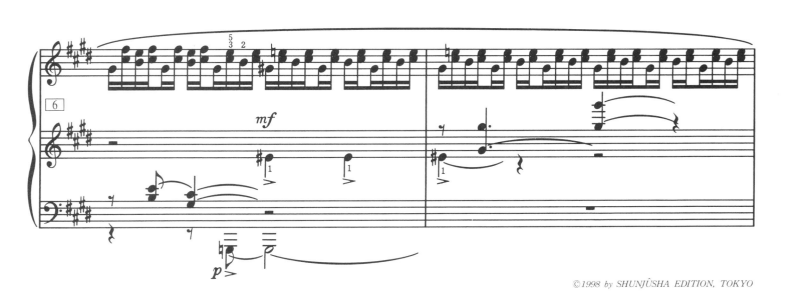

99

해　설

라벨의 생애와 예술

　모리스 라벨은 1875년 3월 7일 남프랑스의 시부르에서 태어났다. 그의 아버지는 음악을 좋아하는 스위스계의 기계 기사였고, 어머니는 스페인 혈통의 바스크계인이었다. 그의 가족은 라벨이 태어나고 얼마 되지 않아 파리로 이주하였다. 어린 자신의 아들에게 음악적 재능이 있음을 발견한 부친의 노력에 힘입어, 라벨의 음악성은 날로 향상되었으며, 그 결과 14세(1889년) 때에는 파리 음악원에 입학하게 되었다.

　이러한 기본적인 교육 외에도 라벨은, 여러 장르의 음악을 접하며 음악적으로 폭넓은 시야를 가질 수 있었다. 예를 들면, 음악원에 입학한 해에는 파리에서 열린 만국 박람회에서 인도네시아 자바의 가믈란 음악이나 러시아 음악 등을 듣고 크게 감명받았으며, 이런 경험을 바탕으로 그는 전통에 구애받지 않는 자유로운 감성을 지니게 되었다.

　이 즈음 프랑스 음악계는 커다란 전환기를 맞았다. 1871년, 생상스를 비롯한 여러 작곡가들에 의한 국민음악협회의 설립에서도 엿볼 수 있듯이, 프랑스의 독자적인 음악——특히 기악——을 추진하려는 움직임이 일고 있었다. 프랑스 음악가들은 바그너나 러시아 음악을 위시하여 각국의 다양한 음악을 받아들이고, 나아가서는 문학이나 미술의 전위적 운동에 자극받으며 독자적으로 새로운 방향을 모색하였다. 라벨도 이러한 시대적 흐름에 민감하게 대응하며 자신의 길을 개척하였다.

　당연한 이야기겠지만 이러한 라벨의 태도는 보수적 아카데미즘을 존중하는 음악원의 교풍에 어긋나는 것이었으며, 그로 인해 라벨은 음악원에서 우수한 학생으로 인정받지 못하였다. 다만 음악원 생활이 그에게 유익했던 것은, 스페인에서 온 유학생 리카르도 비녜스(후에 유명한 피아니스트가 되어 라벨의 피아노곡을 여러 곡 초연하였음)를 비롯한 새로운 예술을 추구하던 친구들과의 교류를 통해, 당시의 다양한 음악이나 문학을 연구할 수 있었다는 점이었다. 그 중에서도 샤브리에, 사티 등에게서 볼 수 있었던 프랑스 음악의 새로운 경향, 러시아 소수 5인조의 참신한 음악 표현법, 혹은 보들레르나 말라르메와 같은 상징주의 시 등은 라벨에게 커다란 영향을 주었다.

　그러나 그는 일찍부터 고전적 질서와 그 견고함을 중시하였으며, 그러한 그의 특성은 전통을 존중하면서도 당시 젊은 예술가들의 혁신적 시도에도 관심을 가지고 있던 포레의 가르침으로 한층 세련화되었다. 포레는 라벨의 재능을 높이 평가하였으며, 1898년부터 라벨을 제자로 삼았다.

　피아노곡 〈물의 장난〉(1901), 〈현악 4중주곡〉(1902~1903), 관현악 반주 가곡집 〈세헤라자데(Shéhérazade)〉(1903) 등은 그의 개성이 단적으로 표현된 청년 시절의 걸작이다. 하지만 이러한 의욕적인 창작 활동은 음악계 보수 세력의 반감을 불러일으켰으며, 그것이 표면화된 것이 바로 1905년의 로마상 콩쿠르 사건이다(여기에 대해서는 작품해설 중 〈거울〉을 참고하기 바란다). 이 사건은 라벨을 로마상 콩쿠르 예선에서부터 통과시키지 않으려 했던 보수적 콩쿠르 개최 당국에 대하여 매스컴과 지식인들이 맹렬히 반발한 사건으로서, 이미 라벨이 진보적인 청중들로부터 일류 작곡가로 인정받고 있었다는 사실을 반증하는 계기가 되었다.

　어쨌든 이 사건으로 오히려 작곡가로서의 위치를 더욱 확고히 한 라벨은, 중기에도 자신만의 스타일과 기법을 더욱 성숙시켜 나아갔으며, 계속해서 다양한 장르의 걸작을 탄생시켰다. 사건이 일어난 해에는 고전 지향적인 피아노곡 〈소나티네〉와, 소재를 사실적이고 객관적으로 표현한 피아노곡 〈거울〉을 완성시켰다. 가곡집 〈박물지(Histoires naturelles)〉(1906)에서는 〈거울〉에서 드러난 냉철함을 아이러니하게 표현하였으며, 〈밤의 가스파르〉(1908)에서는 괴기적 환상을 화려한 피아니즘과 결합시켰다. 한편, 연탄곡 〈마 메르 로아(Ma Mère l'Oye)〉(1908~1910)에서는 동화적인 세계를 묘사하였으며, 오페라 〈스페인의 한때(L' Heure Espagnole)〉(1907)와 관현악곡 〈스페인 광시곡(Rhapsodie Espagnole)〉(1908)에서는 모친으로부터 물려받은 스페인적인 정서가 표현되어 있다. 이렇게 그의 개성은 다양한 작품에 뚜렷하게 표현되어 있다.

중기의 정점을 이루게 된 작품이 러시아 발레단 소속 디아길레프의 위촉을 받아 쓴 발레 음악 〈다프니스와 클로에(Daphnis et Chloé)〉(1909~1912)인데, 이 작품은 라벨 고유의 색채를 띤 관현악법이 단적으로 표현된 '거대한 음악의 벽화'(라벨 자신의 말)이다. 피아노곡 〈고귀하고 감상적인 왈츠〉(1911)의 시적인 건반의 울림은, 가곡집 〈말라르메의 3편의 시(Trois poèmes de Stéphane Mallarmé)〉(1913)의 화성적 탐구 후에 더욱 예민해진다.

제1차 세계대전 당시 〈피아노 3중주곡〉(1914)을 완성시킨 라벨은, 애국심에 불타 종군을 지원하였다. 하지만 그리 건강하지 못했던 체력 탓에 수송 트럭 운전사로 배정되었다. 전쟁터에서 힘든 하루하루를 보내고 있을 때, 사랑하는 어머니마저 세상을 떠났다는 사실은 그가 감당하기에 너무 큰 고통이었다. 게다가 그는 전쟁터에서 많은 친구들마저 잃었다. 그래서인지 1917년, 제대한 후에 완성한 피아노곡 〈쿠프랭의 무덤〉을 보면, 그런 고뇌를 직접적으로 드러내지는 않았지만 모든 곡들을 전사한 친구들에게 바쳤다.

드뷔시가 타계한 전후(戰後) 프랑스 음악계에서 라벨은 보다 중요한 위치를 차지하게 되었다. 관현악곡 〈라 발스(La Valse)〉(1919~1920)를 시작으로 1920년대에 왕성한 창작 활동을 하며, 자신의 스타일을 확고히 하였다. 이런 후기의 대표작으로는 〈바이올린과 첼로를 위한 소나타〉(1920~1922), 바이올린곡 〈치간(Tzigane)〉(1924)을 비롯하여, 성악과 플루트, 첼로, 피아노 등이 조금은 특이하게 편성된 가곡집 〈마다가스카르섬의 토인의 노래(Chansons Madécasses)〉(1925~1926), 〈바이올린 소나타〉(1923~1927) 등이 있는데, 이들 모두에는 원숙한 기법이 여실히 드러나 있다. 그리고 오페라 〈어린이와 마술(L'Enfant et les sortilèges)〉(1919~1925)에는 라벨의 동화적 세계가 시적으로 묘사되어 있고, 무용가 이다 루빈스타인을 위해 쓰여진 유명한 〈볼레로(Boléro)〉(1928)에서는 같은 주제를 관현악의 색채 변화로 계속해서 반복하는 대담한 작곡 기법을 사용하였다. 후기 창작의 정점이라고 일컬어지는 〈왼손을 위한 피아노 협주곡〉(1929~1930)과 〈피아노 협주곡 사 장조〉(1929~1931), 이 두 곡은 대조적인 스타일을 취하였으면서도 모두 라벨의 개성이 잘 드러나 있다. 그리고 이 시기에 라벨은 유럽 각지를 비롯해 미국에도 진출하는 등, 활발한 활동을 하며 작곡가로서 명실공히 절정기를 맞게 되었다.

하지만 1933년, 가곡집 〈뒬시네 공주에게 반한 돈 키호테(Don Quichotte à Dulcinée)〉를 완성한 무렵부터 라벨은, 뇌질환에 시달리며 작곡도 전혀 할 수 없는 상태에 이르게 되었다. 해외에서 받은 전지요양도 별 효과가 없었고, 급기야는 몸을 움직이는 것은 물론이고 말하는 것조차 힘들어졌다. 그리하여 라벨은 아주 친한 친구들 외에 가깝게 지내는 사람도 없이 외로운 만년을 보내게 되었다. 하지만 의식은 있었기에 그로서 작곡을 할 수 없게 되었다는 사실은 너무도 심한 고통이었다. 그래서 1937년, 뇌수술을 받았으나 별 효과를 보지 못하고, 그 해 12월 28일에 안타깝게도 그는 운명을 달리하였다. 당시 그의 나이 향년 62세였다.

라벨의 독자적인 작품 스타일과 표현법은 다양한 양상을 보였으나, 그 본질 자체는 전 생애를 통해 변하지 않았다. 기능 화성을 파괴하지 않으면서도 대담한 화성적 수법으로 다채롭고 새로운 음의 세계를 개척하였고, 선법적 특징을 도입하여 그로부터 미묘한 표정을 만들어 내는 독자적인 선율법을 구축하였다. 그리고 폴리 리듬이나 헤미올라 등으로 정교하고 치밀한 리듬을 구사하였으며, 그러한 화성과 선율, 리듬상의 새로운 표현법은 말할 나위 없이 정교하고 면밀한 계산 위에 이루어진 것이었다. 스트라빈스키로부터 '스위스 시계'라고 평가될 만큼, 라벨은 자신의 음악에 있어 정교하고 치밀한 완벽함, 면밀하고 명철한 구성을 추구하였다. 따라서 그의 고전 지향적인 특성도 분명 이러한 것들과 관련이 있을 것이다. 낭만파 특유의 과장이나 과거 스타일을 기준으로 한 모방은 결코 그의 혁신성과 모순되는 것이 아니었다. 물론 라벨이라고 해서 인간으로서의 로맨틱한 감정을 갖지 않았던 것은 아니다. 오히려 그 반대로 지극히 다정다감한 사람이었다고 할 수 있을 것이다. 그러한 일면——예를 들면 힘찬 정열, 괴기적인 것들에 대한 관심, 동화나 신화, 그리고 이국적 세계에 대한 동경 등——은 그의 음악에 자주 엿보이며, 그의 음악 세계 깊숙한 곳에 항상 존재하였다고 할 수 있겠다. 하지만 라벨은 언제나 그런 속마음을 직접적으로 표현하기를 거부하였고, 어디까지나 냉정한 눈으로 분석하고 치밀한 설계 아래 작품으로 승화시켰다. 아무리 작은 부분이라 하더라도 우연에 맡기는 일 없이 완벽하게 갈고 다듬어 완성시키는 것이 작곡가 라벨의 신조였다. 이러한 완벽주의를 추구하는 프로 정신이 높은 예술성과 결합되었다는 점이 바로 라벨의 특징이다.

이러한 라벨의 특징은 피아노곡에도 드러나 있는데, 그의 피아노곡의 특색, 그리고 그가 개척한 피아노 기법에 대해서는 연주 노트를 참고하기 바란다. 라벨에게 있어 피아노는 그와 가장 친밀한 악기였고, 그의 음악 표현법과 스타일을 발전시킬 수 있는 매개체였다. 따라서 피아노곡은 그의 작품의 중요한 장르였다. 그의 독자적인 음악 세계가 표현된 초기 작품이 〈귀로 듣는 풍경(Sites auriculaires)〉(1895∼1897)이라는 제목의 피아노곡(2대의 피아노곡이므로 이 책에는 수록하지 않음)이라는 점도 피아노가 그의 음악 표현법에 가장 적당하였다는 사실을 시사하고 있다. 반대로 자신만의 스타일의 심화를 추구한 후기에 피아노 독주곡에 손을 대지 않은 것은 중기까지 이루어 놓은 피아노를 통한 다양한 표현법을 마음껏 실험해 보고 싶었기 때문인지도 모른다.

어쨌든 라벨은 피아노곡 창작을 통해 다양한 시도를 하며 자신만의 표현법을 확립하였으며, 그의 피아노곡 하나하나에는 그런 창의성이 넘치고, 독자적 성격이 잘 드러나 있다.

작품 해설

❖그로테스크한 세레나데

작곡 연도 : 1893년경
초   연 : 1901년 4월 13일, 리카르도 비녜스 연주.
(M. Marnat, *Maurice Ravel*, 1987년의 자료에 근거)

라벨의 초기 작품이며, 습작을 제외하면 현존하는 피아노곡으로는 최초의 작품이다. 파리 음악원 재학 중인 1893년경(작곡을 시작한 것은 1892년?)에 작곡되었다. 자필 악보에는 단순히 '세레나데'라고만 적혀 있으나, 〈자전소묘〉(1928년에 지어짐)에는 '그로테스크한'이라는 형용사가 붙어 있다. 하지만 라벨은 이 곡을 어디까지나 습작으로 여겼기 때문인지 생전에는 출판하지 않았다. 그래서 1975년에야 비로소 초연——2월 23일, 뉴욕에서 알비 올렌스타인(Arbie Orenstein)의 피아노——과 출판이 이루어졌다.

이 곡은 샤브리에의 영향을 받았다는 평도 있지만 기괴하다고까지 할 수 있는 리듬과 날카로운 화성, 그것을 통한 그로테스크한 성격과 아이러니 등에는——아직 곡을 표현하는 데는 서툴다는 사실만은 부정할 수 없지만——청년 라벨의 혁신적인 일면이 여실히 드러나 있다.

이 곡의 성격은 날카로운 스타카토와 아르페지오, 온음계 화성 등을 결합시킨, 찌르는 듯한 느낌의 서주 부분부터 확실히 나타나 있다. Très rude(매우 거칠게)나 피치카티시모 등의 기호에서 알 수 있듯이, 거칠게 켜야 하는 현악기 소리는 석양의 사랑 노래인 세레나데와는 거리가 멀다. 그리고 '그로테스크한'이라는 말 그대로 흉하게 변형된 세레나데라는 점에서 라벨 특유의 조소적 태도가 엿보인다.

주부는 15 (프레스토)부터이고 주제는 왼손으로 연주된다. 곡의 흐름 속에 끼어들 듯 나타나는 35 의 당김음은 이후에도 자주 쓰이는 중요한 요소이다. 41 에 나타난 피우렌토의 약간 나른한 모티브도 이 당김음에 의해 영향을 받는다. 57 부터 포코 피우 렌토로 *très sentimental*(매우 감상적으로)로 표시된 부주제의 연주로 어느 정도 변화를 주지만, 이것 역시 당김음 모티브의 영향을 받는다. 서주 모티브와 당김음 모티브를 조합한 경과 부분을 지나 83 에서 주요 주제가 재현되며, 125 부터 다시 부주제가 재현되고, 마지막에 서주의 소재에 의한 코다로 마무리된다.

❖고풍스런 미뉴에트

작곡 연도 : 1895년
초   연 : 1898년 4월 18일(파리의 살 에라르), 리카르도 비녜스 연주
헌   정 : 리카르도 비녜스

그의 나이 20세 때인 1895년, 파리음악원 재학 중에 작곡되어 1898년에 처녀 출판된 작품으로 에노크 사에서 출판되었다. 고전 미뉴에트 형식에 의한 곡으로 라벨의 고전 지향 취미가 단적으로 표현된 작품이다. 그는 제목에 'antique(고대의)'라는 단어를 붙였으나, 18세기 고전 무곡에 대해 이렇게 표현한 것은 일종의 아이러니 혹은 고대에 대한 애착이라고 받아들일 수밖에 없다. 실제로 라벨은 고대 그리스, 특히 그리스 신화의 목가적 세계에 대한 일종의 동경이 강하였다.

고대 그리스 세계에서 제목을 따온 발레 음악 〈다프니스와 크로에〉(1909∼1912)에 대해, '내가 추구했던 것은 고대 모방이라기보다는 나의 꿈 속에 있는

그리스였다. 그리고 그것은 18세기말 프랑스 화가들이 상상으로 그린 그리스와 닮았다'고 했다(〈자전소묘〉). 따라서 〈다프니스와 크로에〉처럼 18세기 궁정무곡에 'antique'라는 말을 붙인 이 〈미뉴에트〉를 이해하면 좋을 것이다.

이 곡에 대해 라벨은, 스스로 샤브리에로부터 영향을 받은 '과거 지향' 작품이라는 것을 인정하고, 이후 자신의 다양한 음악적 요소의 기초가 함축되어 있다는 사실도 함께 언급하였다.

이 작품이 샤브리에의 〈화려한 미뉴에트(Menuet pompeux)〉나 사티의 〈짐노페디(Gymnopédies)〉 등의 영향을 받았다고 하는 견해도 있으나, 정밀하고 신비한 화성을 다룬 당김음에 의한 엇박자나 치밀하고 정교한 리듬, 대위법 기법의 활용 등의 특징을 보면 라벨 특유의 개성이 잘 표현되어 있다고도 할 수 있다. 이같이 고전 형식에 새로운 정신을 담는 소위 '분장된' 고전 양식의 활용은 라벨의 중요한 표현 방법 가운데 하나였으며, 그 중에서도 미뉴에트는 라벨이 즐겨 다룬 곡이었다.

그리고 이 작품은 라벨의 활동 후기에 해당하는 1929년에 그가 직접 관현악곡으로 편곡하기도 하였다. 3관 편성에 의한 풍부한 음의 편곡은 피아노와 관현악이라는 매체의 상위성, 그리고 초기와 후기 라벨의 음악적 표현의 변화를 살펴보는 데 매우 흥미로운 면이 있다.

이 곡은 트리오를 포함하여 전통적 3부 형식으로 되어 있고, 미뉴에트 부분에 'Majestueusement(장중하게, 당당하게)'라고 표기되어 있다. 박자는 물론 4분의 3박자이지만 고전적 미뉴에트의 박절 구조는 당김음에 의해 빈번히 파괴되고, 어긋난 강박자는 악센트에 의해 자주 강조되면서 흥미로운 리듬 효과를 만들어 내고 있다. 그리고 올림바 단조이면서 반음 내린 제7음(올림마가 아닌 마)으로 자연단음계(에올리아조)를 씀으로써 독특한 분위기를 자아내고 있다. 8마디의 주제가 반복 기호에 의해 계속 반복되는 것은 정석 그대로이다. ⑨에서부터 주제가 교묘하게 전개된 후, 주제의 재현에 이른다.

올림바 장조로 바뀐 트리오(트리오라고 표기되어 있지는 않음)는 'doux(부드럽게, 부드럽고 온화하게)'라는 지시대로 부드러운 선율에 의한 목가적 부분으로, 고전적 간소함과 함께 낭만적 감미로움을 함께 느낄 수 있다. 특히 후반(⑤④~)에서는 고대의 목가적 세계에 대한 동경 같은 것을 들을 수 있다. 그런 느낌으로 ⑦⓪에서부터 오른손의 트리오 주제 아래 왼손이 미뉴에트 주제를 겹쳐서 가는 것으로(이후 라벨이 자주 사용한 방법) 미뉴에트의 재현

(⑦⑧~)을 준비한다.

❖죽은 왕녀를 위한 파바느

작곡 연도 : 1899년
초　　연 : 1902년 4월 5일(파리의 살 프레이에르 국민음악협회 연주회), 리카르도 비녜스 연주
헌　　정 : 에도몬드 드 폴리냐크 공비

이전의 작품 〈고풍스런 미뉴에트〉가 18세기 고전무곡인 미뉴에트를 근거로 작곡했다는 데 대해, 1899년에 쓰여진 이 작품은 16~17세기에 인기를 끌었던 궁정무곡인 파바느이다. 우아하고 아름다우며 화려하고 장중한 파바느의 특징을 살리면서 샤브리에의 스타일(특히 〈목가(Idylle)〉)을 참고로 해서 만들어졌다. 그리고 그 향수 짙은 서정성에는 과거를 돌아보는 라벨의 동경 어린 시선이 엿보인다. 그런 면이 지나치게 부각되었기 때문일까, 작곡자 자신이 1912년, 이 작품에 대해 '샤브리에의 영향이 너무나 확실히 보이며, 형식도 매우 빈약하다'고 조금은 가혹하다고 할 만한 견해를 보이면서도, 1910년에는 2관 편성에 의한 관현악(오보에 1개, 하프 포함)으로 스스로 편곡한 것을 보면 이 작품에 애착을 가졌던 것 같다. 또한 제목인 '죽은 왕녀를 위한(pour une Infante défunte)'이라는 표현은 작곡자가 단순히 운을 맞추기 위해 덧붙인 것이라고 한다.

곡은 우아하고 아름다운 주제로 시작된다. 선법적인 선율이 옛 시대를 연상케 한다는 점에서는 〈고풍스런 미뉴에트〉와도 통하는 데가 있다. ⑬부터의 제1 에피소드는 très lointain(매우 멀리서)라고 표기되어 있고, 저 먼 세상에 대한 동경까지도 느끼게 한다. 그리고 그런 리듬이 반복될 때(⓴~), 선율은 변하지 않으면서도 베이스는 다르기 때문에 더욱 미묘한 분위기의 변화를 느낄 수 있다. 주요 주제의 변주적 재현(㉘~)을 포함하여 ㊵에서부터는 새로운 에피소드가 시작된다. 동경적 분위기를 뚜렷이 보여주는 부분으로, 이 부분도 어느 정도 변주되며 반복된다.

그리고 마지막에 주요 주제가 다시 한 번 변주되며 마무리된다. 모든 부분에서 선율 그 자체는 변하지 않고, 반복될 때마다 다만 반주를 바꾸거나 장식을 조금씩 더하는 것으로 미묘한 변화를 주고 있다. 그리고 불규칙한 프레이즈 구조 등은, 얼핏 보면 단순한 과거의 무곡 형식 같지만 여러모로 정교하고 치밀한 라벨의 기법이 엿보인다.

❖ 물의 장난

작곡 연도 : 1901년
초   연 : 1902년 4월 5일(파리의 살 프레이에르 국
          민음악협회 연주회), 리카르도 비녜스 연주
헌   정 : '경애하는 스승 가브리엘 포레에게'

1901년, 라벨은 프랑스의 젊은 작곡가들로서는 음악계로의 등용문이라고 할 수 있는 로마상 콩쿠르에 칸타타 〈미라(Myrrha)〉를 응모하였는데, 차점에 그치고 말았다. 그래서인지 이 칸타타는 오늘날까지도 라벨의 주요 작품으로는 간주되지 않으며 연주되는 일도 거의 없다. 그러나 같은 해에 쓰여진 피아노곡 〈물의 장난〉은 그때까지 그가 썼던 3개의 피아노곡의 작풍에서 크게 발전한 초기의 대표작으로 손꼽힌다. 라벨 자신이 말년에 '〈물의 장난〉은 사람들이 내 작품에서 읽고자 하는 피아니스틱한 새로움 그 모든 것의 시작이며, 물결이 살랑대는 소리나 샘, 폭포, 실개천 등에서 들을 수 있는 음악적 소리에서 영감을 얻어 작곡했다.'(〈자전소묘〉)고 말할 정도로, 아르페지오를 중심으로 한 섬세한 음형의 반복을 정묘한 화성의 변화와 연결시킴으로써 물의 흐름과 그 반짝이는 다양한 모습에서 아이디어를 취하였다. 이 곡은 음악 어법적인 면에서 보나, 리스트적인 기교(특히 〈에스테 별장의 분수(Les jeux d'eaux la Villa d'Este)〉 등)를 독자적으로 발전시킨 피아니즘이라는 면에서 보나 피아노의 새로운 표현법을 개척한 획기적인 작품이라고 할 수 있다.

여기 쓰여진 음악 어법 및 참신한 피아니즘에 대해서는 연주 노트를 참조하기 바라며, 그러한 것들에 의해 소위 인상주의(이러한 명칭에는 찬반 의견도 있으나) 기법을 피아노 독주곡 분야에서 확립했다는 데서 이 작품이 음악사상 큰 의미를 갖는다. 왜냐하면 성악곡이나 관현악 곡에서는 소위 인상주의적 기법을 이미 확립해 놓은 드뷔시조차 피아노곡 장르에 관한 한 1901년에는 아직 자기만의 기법을 찾아내지 못한 상태였기 때문이다(드뷔시의 〈판화(Estampes)〉는 1903년, 〈영상 제1집(Images Ⅰ)〉은 1905년에 작곡됨). 작품이 완성된 당시에는 이 작품에 그다지 자신이 없었던 라벨도 결국 자신이 드뷔시보다 앞서 이러한 기법을 이루어 낸 것을 자랑스럽게 여겼고, 후에 'Le temps'(1907년 3월 19일자)에 비평가 피에르 라로(Pierre Lalo)가 〈물의 장난〉에 드뷔시의 영향이 엿보인다고 평가했을 때, 라벨은 자신의 작품이 먼저 작곡되었다고 반론을 제기하였다.

그러나 드뷔시와는 달리 이러한 인상주의적 표현법이 전통적 소나타 형식(매우 자유롭게 취급되어져 있기는 하나)으로 정리되어 있다는 점이 라벨답다. 그런 면에서 볼 때 이렇게 혁신적인 곡에서조차 그의 고전 지향 취미가 엿보인다고 할 수 있다.

곡의 첫머리에는 에피그래프로서 프랑스 상징파 시인인 앙리 드 레니에(Henri de Régnier, 1868~1936)의 시집 〈물의 도시(La cité des eaux)〉에 들어 있는 시 〈물의 축제(Fête d'eau)〉의 한 구절 '물결에 간질인 강의 신이 웃는다'는 부분이 들어 있다(이것은 1901년 11월 11일자의 라벨 자필 악보에 표기되어 있다). 첫머리 제1주제에 나타난 장7도, 장9도의 음이나 아르페지오의 패시지적 움직임이 이 작품 전체의 기조이다. ⑲ 에서부터 연주되는 제2주제는 5음 음계에 의하여 진행된다. ㊳ 에서부터 시작되는 전개부는 아르페지오의 움직임을 중심으로 커다란 파상의 절정을 나타내며, ㊽ 의 트레몰로와 글리산도로 정점을 이룬다. 그 후 제2주제에 의한 전개를 거쳐, ⑥② 에서부터가 재현부이다. 제1주제와 제2주제의 재현 사이(㊲)에는 복조(複調)적(올림바 장조의 주요 화음과 다 장조의 주요 화음) 아르페지오의 선명한 카덴차가 삽입된다.

❖ 소나티네

작곡 연도 : 1903~1905년
초   연 : 1906년 3월 10월(리용), 폴 드 루스탕(Paule
          de Lestang) 부인 연주. 파리 초연은 같은
          해 3월 31일 스콜라 칸트룸 홀에서 열린
          국민음악협회 연주회에서 가브리엘 기로브
          레즈(Gabriel Gyrovlez)가 연주.
헌   정 : 이다(Ida) 및 시파 고디브스키(Cipa Go-
          debski)

라벨의 고전 지향 취미가 고전파 소나타 형식 위에 결정화된 명곡이다. 영국과 프랑스에서 출간되는 'Weekly Critical Review'라는 잡지가 기획한 작곡 콩쿠르에 출품하기 위해 1903년에 작곡을 시작하여, 제1악장을 완성하였다. 비록 콩쿠르 자체는 중지되었으나 라벨은 2개의 악장을 더 써서, 1905년 3악장으로 이루어진 〈소나티네〉를 완성하였다. 빈 고전파의 빠름—느림—빠름 구조로 된 3악장 소나타의 구성과 형식을 취한 이 작품(3개의 악장이 각각 올림바 장조, 내림라 장조, 올림바 단조로 되어 있으며, 제2악장에서 내림라 장조를 올림다 장조로 바꿔 읽으면, 양끝 악장에 대해 딸림조 관계가 됨)은 중간 음역과 높은 음역을 중심으로 한 가볍고 투명한 소놀리티라

는 면에 있어 빈 고전파 및 프랑스 베르사이유 악파의 쳄발로 음악과 상통하는 면을 가진다. 전 악장이 공통된 주제로 전체적 통일감을 주는 순환 형식을 채택했다는 점에서 19세기 후반 프랑스의 '고전적' 선배들——생상스, 프랑크, 포레 등——의 기법을 계승하였다. 한편 능란한 조성적 구성, 선법적 음조직, 정묘한 화성 등의 라벨식 취향으로 의심할 여지없이 라벨만이 보여줄 수 있는 독특한 음의 세계를 만들어 내고 있다.

제1악장은 4분의 2박자 Modéré(중간 빠르기로)에 의한 간결하고 소박한 소나타 형식이다. 첫머리에 나타나는 제1주제(옥타브의 유니즌에 의해 양 외성에 나타남)는 전 악장에 보이는 순환 주제로서, 초반부의 하행 완전 4도는 제2악장 및 제3악장의 주요 주제를 끌어낸다는 점에서 작품 전체를 통합하는 모티브이다. 이끎음을 피한 에올리아조에 기초를 둔 제1주제는 5도 병행 진행을 포함한 내성의 움직임으로 뒷받침되며, 나른한 서정성을 자아낸다. 제2주제는 [13]부터인데 풍부한 표정을 자아내는 것은 역시 병행 화음의 반주이다. [20]부터 하행 음형에 의한 인상적인 코데타 주제가 나타나, [23] 둘째 박자 다음부터 시작되는 하행 4도(모토 모티브)에 이른다.

전개부에서 코데타를 이어받아 하행 4도로 시작되어 제1주제([31]~), 제2주제([40]~)가 다뤄지고, [45]부터 제2주제에서 유도된 모티브를 중심으로 클라이맥스를 이루어 낸다. [56]에서 시작되는 재현부에서는 제2주제([68]~)에서 단3도 아래로 옮겨져, 올림바 장조의 종결로 유도된다.

제2악장은 'Mouvement de menuet(미뉴에트 빠르기로)'로 표기되어 있고, 형식도 트리오로 된 미뉴에트 형식으로 볼 수 있으나, 매우 자유롭게 취급되어 박자도 보통 미뉴에트 4분의 3박자가 아닌 8분의 3박자를 취하고 있다. 상행 완전5도(모토 모티브의 전환)로 시작되는 미뉴에트 주제는 내림라 장조에서 바 단조(에올리아조)로 옮겨진다. 미뉴에트 후반([13]~)은 전개부 풍으로 주제가 취급되고([13]~[14]는 미뉴에트 주제와 제1악장 제1주제, 순환 주제와의 관련성을 시사하고 있다), 나아가서 [27]부터는 왼손에 새로운 선율이 나타나 미뉴에트의 마지막을 장식한다. 트리오([39]~)는 제1악장 제1주제의 변화형에 의한 것이다. 왼손에도 그 두 배의 음가로 주제가 나타나 있다. [53]부터 미뉴에트가 주조(主調)로 돌아오지만 그 후의 조성적 진행이 최초로 바뀌어져 있는 점에 주의하여야 한다. 엔하모닉으로 올림다 단조를 거쳐 주조인 내림라 장조로 끝맺는다.

제3악장은 'Animé(생기 발랄하게)'의 토카타적 피날레이다. 4분의 3박자이며 악장 전체가 거의 16분 혹은 8분음표로 된 셋잇단음표의 빠른 움직임에 의해 지배되는 페르페툼 모빌레로 되어 있다. 세번째 마디에 있는 16분음표의 움직임 다음에 이것을 반주로 해서 [4]부터 상행 4도로 시작되는 날카로운 악센트의 제1주제가 나타난다. [12]부터 반음계적인 내성의 움직임을 동반한 부악상, 그리고 [18]부터 4도 위로 제1주제와 부악상이 반복된다. 하행 4도로 시작되는 제2주제([37]~)는 제1악장 제1주제를 사용하였다. 이것은 5도 위로 반복([40]~[42])되는데, 이 때 계속되던 빠른 움직임을 순간 멈춰 주제를 더욱 돋보이게 하는 것이 인상적이다. 그 후 하행 4도를 강조하는 패시지를 거쳐 [60]부터는 그것이 가(A)—사(G)—마(E)음의 움직임이 있는데 이것은 제1악장 코데타 주제를 상기시킨다.

[64]에서 제1주제가 다시 나타나는 곳부터 전개부가 시작된다. 가(A)—사(G)—마(E)음의 움직임이 집요하게 반복되고 [95]부터 제2주제가 나타난다. [106]부터는 제1주제가 마 단조로 재현되며, 그것이 다양한 조로 반복되며 주조에 이른다([127]~). [140]부터 제2주제가 재현되며, 이것이 [157]에서 정점을 이루고 하행 4도를 강조하는 화려한 코다로 마무리된다.

❖ 거 울

작곡 연도 : 1904~1905년
초   연 : 1906년 1월 6일(파리 살 에라르 국민음악
협회 연주회), 리카르도 비녜스 연주
헌   정 : 제1곡—레옹 폴 파르그(Léon-Paul Fargue),
제2곡—리카르도 비녜스, 제3곡—폴 소르드
(Paul Sordes), 제4곡—M. D. 칼보코레시(Cal-
vocoressi), 제5곡—모리스 드라쥬(Maurice
Delage)

〈소나티네〉와 거의 같은 시기에 작곡된 작품이지만, 작풍 면에서는 〈소나티네〉와 정반대의 성격을 띤다는 점이 매우 흥미롭다. 라벨 자신이 이 작품을 '〈물의 장난〉에서 자신을 해방시키는 곡'이 되기를 바랐다고 전해지고 있으나, 이 말이 결코 〈물의 장난〉에서 추구했던 인상주의적 스타일을 부정한다는 뜻이 아니며, 오히려 그 스타일을 더욱 철저히 추구함으로써 〈물의 장난〉을 뛰어넘는 작품을 쓰겠다는 뜻이었음을 무엇보다도 작품 그 자체가 말해주고 있다. 냉철하다고 할 정도로 대상을 객관적으로 보고 그 소리를 묘사한 이 작품은, 라벨이 실로 새로운 경지를 개척해 감과 동시에 〈거울〉이라는 제목을 통해 대상

을 사실적으로 비추려는 그의 의도가 엿보인다. 이것은 대상이 빚어내는 분위기에 중점을 둔 드뷔시와는 대조적 접근 방법이라 할 수 있겠다.

라벨은 이 작품에서 그런 치밀하고 엄격한 묘사로 대담한 화성 표현의 세계로 더욱 파고든다. 그의 〈자전소묘〉 속에서 '〈거울〉은 나의 화성법 발전 과정상 매우 중대한 변화를 나타낸 작품이며, 그 때까지 내 스타일을 잘 알고 있던 사람들까지도 놀라게 했다'고 말하였다. '내 스타일을 잘 알고 있던 사람들'이라 함은 당시 라벨이 속해 있던 '아파쉐(Les Apa-ches)'의 일원을 가리키는 것이다. '아파쉐'란 전통적인 아카데미즘에 반항하여 새로운 시대의 음악을 추구한 젊은 예술가나 지식인들로 구성된 모임으로, 화가인 폴 소르드, 비평가인 카르보코레시, 피아니스트인 리카르도 비녜스, 작가인 레옹 폴 파르그, 시인인 트리스탕 클링그조르, 작곡가인 팔랴, 지휘자인 앙겔브레슈트, 라벨의 제자이며 작곡가인 모리스 들라즈 등이 그 일원이었다. 그들은 주말이면 음악 모임이나 토론회를 열곤 하였다. 〈거울〉의 5곡은 모두 이 모임의 일원들에게 헌정되었는데, 그들마저 이해하기 어려운 음악이었다는 사실만 보더라도 이 작품이 당시 얼마나 전위적이었던가를 알 수 있다.

작품이 완성된 1905년, 30세가 된 라벨에게 1900년 이래 매년(1904년은 제외) 도전해 온 로마상에 응모할 수 있는 마지막 기회가 왔다(프랑스 작곡가들의 등용문으로 권위와 전통이 있는 이 콩쿠르의 응모 자격은 30세까지였다). 그는 이 콩쿠르에 이미 4차례나 응모했었지만, 제1회(1900)는 예선에서 탈락하였고, 3회에서는 최종 심사권 내에 들기는 했으나 수상의 영광을 누리지 못하였다. 그리고 마지막 다섯번째 도전에서 라벨은 유명한 작곡가였음에도 불구하고 예선에서 탈락하고 말았다. 이것은 두말할 것도 없이 라벨의 음악이 로마상이 추구하는 아카데미즘과 맞지 않는 혁신적인 것이었기 때문이었지만, 이 결과에 대해 전국의 신문이 로마상 당국의 보수성을 비난하였고 로망 롤랑 등의 지식인들도 라벨을 옹호하였다. 그로 인해 음악원 원장이었던 테오도르 뒤보아(Théodore Dubois)가 사임하는 등(후임은 포레), 프랑스 음악계를 뒤흔드는 대사건으로 발전하였다.

〈거울〉은 로마상과는 관계없이 쓰여진 작품이었지만, 당시 그를 둘러싼 상황으로 보면, 이 곡은 마치 보수적 아카데미즘에 대한 라벨의 통렬한 비판이라고도 볼 수 있다.

◘제 1 곡 〈나방〉

밤이 되어 이리저리 정신없이 날아다니는 나방의 모습을 복잡하게 뒤섞은 소리의 울림, 폴리 리듬, 섬세한 다이나믹스, 박자와 리듬의 빈번한 변화로 교묘하게 그린 곡이다. 3부 형식을 취하였으며, 'Très léger(아주 가볍게)'로 표기되어 있는 주요 주제는 실제로 나방이 날아다니는 듯한 음형의 움직임이 지배하고 있다. 매우 복잡하게 들리는 화성의 골격에 대해서는 연주 노트를 참조하기 바라며, 그것을 장식하는 앞꾸밈음이 중요한 요소로 되어 있다. 음의 움직임이 적절한 시점에서 돌연 그치는 것도 재미있다. 14 부터 선율이 좀더 선명하게 나타나고, 21 부터는 더욱 새로운 단편적 선율이 들려오는데 전체적으로는 '의도적인 혼란스러움'이 능숙하게 그려져 있다.

일변하여 37 에서 시작되는 중간부에서는 바(F)음(도중에 내림나(B♭) 음으로 됨)의 보속음으로 '음울하고 표정 풍부한' 선율이 장7도 병행(도중에서 3화음의 병행)과 함께 조용히 연주된다. 47 의 하행 4도는 〈소나티네〉의 여운인 것 같다.

63 부터가 주요 주제로 돌아가는 부분인데, 처음에는 보속음 등 중간부의 음을 끌어내면서 자유롭고 즉흥적으로 발전해 간다. 90 부터는 제1부의 6 부터와 같은 형태로 돌아가, 이후 제1부와 같은 식으로(단, 96 의 제2박자 다음부터는 5도 아래로 조옮김되어 있다) 진행되어 간다. 121 ~의 코다에서는 중간부가 울려 퍼진다.

◘제 2 곡 〈슬픈 새〉

라벨의 설명에 의하면 '여름날의 가장 무더운 시간에 어두운 숲 속에서 맥을 못 추고 있는 새들'을 묘사한 작품이다. 시간이 멈춘 듯한 느릿느릿한 진행(표기는 Très lent) 속에서 조용하고 나른한 분위기를 아주 잘 그려내고 있다. 자유스런 3부 형식이며, 주요 주제의 모티브는 1 에 나타난 단장격(短長格) 반복음(동기 a)과 2 의 급속히 오르내리는 음형(동기 b)을 모두 단성으로 나타내는 것으로 긴장된 느낌을 주고 있다. 4 부터는 내성의 반음 움직임과 함께 불쾌함을 한층 더해 간다. 13 부터의 중간부는 주부와는 대조적인 빠른 반주로 새가 시끄럽게 가까우면서도 멀리서(14 에는 'lointain 멀리'라는 지시가 있음) 우짖고 피아니스틱한 정점을 이룬다. 그러나 이것도 한순간뿐, 반음의 태동(주부에서 내성으로 나간 움직임) 속에 포함되며, 21 부터의 2개의 주요 모티브가 표시되어 재현부(단2도 아래에 조를 바꿈)가 된다. 그리고 카덴차(25, 동기 b도 포함되어 있다)를 지나 코다가 되어 주음의 내림마 음에 의한 동기 a가 조용하게 연주되는 가운데 모습을 감추며 사라지듯 끝난다.

◆제3곡 〈바다의 조각배〉

대양의 크고 작은 파도의 유동을 광역의 연속적 상하행에 의한 아르페지오의 움직임으로 표현하고 있다. 리스트풍의 피아니즘에 의한 전통적인 특성이 현저하다. 전체적으로는 자유로운 형식을 취하고 있지만 첫머리에 제시되어 있는 주요 주제(단조로운 선율 및 파도의 상하 움직임을 나타내는 아르페지오의 반주로 이루어짐)와, 파도가 높아졌다 부서지며 갑자기 움직임이 정지하는 일련의 움직임을 나타내는 듯한 38 — 48 의 움직임(트릴→아르페지오→느릿한 화음, 그리고 이행)이라는 2개의 요소가 이후 순환적으로 나타나(전자는 61 및 132 부터의 코다로, 후자는 68 및 111 부터) 전체적인 통일감을 주고 있다. 그러한 요소 속에 파도에 희롱당하는 조각배의 모습을 그리듯 상행 화음의 움직임이 중저음역에서 글리산도로 피어 오르는 29 부터의 악상, 델리케이트한 파도의 움직임을 나타내는 49 부터의 악상, *expressif* 의 인상적인 선율이 등장하는 83 부터의 악상(주요 주제와 관련)의 에피소드가 삽입된다.

라벨은 이 곡을 1906년 3관 편성의 관현악곡으로 편곡하였다. 분명히 이 곡이 갖는 색채감에는 관현악적인 면모가 보이고, 그것은 관현악곡에 잘 나타나 있다. 그러나 원곡의 피아니스틱한 특징이 손실된 것도 부정할 수 없으며, 그 때문인지 라벨 자신도 이 곡의 관현악 편곡을 높이 평가하지도 생전에 출판하지도 않았다(관현악곡의 출판은 1950년).

◆제4곡 〈어릿광대의 아침 노래〉

제목에 대해서는 연주 노트를 참조하기 바란다. 〈거울〉 중에서 특히 비루투오소적인 선명함을 나타내는 이 곡은 전곡 중 가장 널리 알려진 곡이며, 단독으로 연주되는 경우도 많다. 안달루시아적인 스페인적 취향이 단적으로 드러나 있으며, 제목도 스페인어로 되어 있다(로저 니콜스에 의하면 중간부의 코플라를 동반하는 무곡 '세기딜랴 스타일'에 의한다고 함).

주부는 'Assez vif(충분히 활발하게)'라고 표기되어 있는 무도적 부분으로 확실히 기타의 음을 모방하면서도 피아니스틱한 기교를 응축시켰다. 장7도(감8도)의 병행, 2도의 만남으로 장식되면서도 라 단조(프리기아조적)의 명확한 선율로 시작되고, 특히 1 — 2 의 모티브 및 6 의 셋잇단음을 포함하는 모티브는 12 부터의 중요한 악상이면서 그 발전형(31 ~)을 이끌어 내는 등, 다양한 모양으로 주부를 형성하는 기본적인 리듬 소재가 된다. 43 부터 동음반복(올림사 음)과 글리산도에 의한 기교적 부분이 되는

데 다시 기본 모티브에 의한 약동으로 돌아가, 라 장조로 끝난다. 71 부터가 중간부의 코플라(성악). 애절한 느낌을 띤 단선율의 레시터티브풍의 성악과 무도의 먼 에코와도 같은 화음이 교차된다. 이윽고 연주는 당김음의 화음을 동반하면서, 주부를 떠올리는 반주 리듬과 함께 연주되며 126 에서 시작되는 통절한 부르짖음에 이른다. 같은 현상이 약간 변화된 형태로 반복된 후에 주부의 리듬 모티브가 나타나고 제3부가 된다(166). 이번에는 우선 먼저 동음반복(4도 위로 조옮김되어 여기서는 올림다 음이 됨)과 글리산도(제1부와는 달리 겹음으로 되어 있다)에 의한 부분이 재현되어(174 ~), 그 후 기본 모티브가 시작되며 이미 등장했던 소재(202 ~에는 중간부의 주제도 나타나 있다)를 기본으로, 화려하게 절정을 이루어 간다. 1918년 라벨이 만든 3관 편성에 의한 산뜻한 관현악곡도 널리 알려져 있다.

◆제5곡 〈종의 골짜기〉

조용한 계곡에서 종소리가 울려 퍼지는 정경을 멋지게 포착해낸 곡. 3부 형식. Très lent(매우 느리게)이지만 이 곡의 정적인 흐름은 단순히 느리게 라기 보다는, 정말 시간이 멈춰 있는 듯한 인상을 주며, 멀리서 그리고 가까이서 울리는 5개의 종(연주 노트 참조. 그 중 4개는 제1부에 나타나 있다)은 계곡의 깊은 침묵을 한층 더 강조하고 있는 것 같다. 곡 전체의 기조는 완전 4도로 된 음 구성이다.

제1부는 4개의 종이 각각 고유의 거리감(강음)과 리듬으로 나타난다. 4도의 정묘한 조합은 주조의 올림다 장조를 약하게 하고 있지만, 12 부터 시작되는 경과 부분에서는 신비스런 화음 속에 올림바 장조를 확실히 나타낸다. 16 의 다 음 상의 장3화음을 거쳐(그 중에서도 내림나 음의 종이 계속 울린다) 20 에서 내림라 장조로 조를 바꿔 중간부(주제는 19 에서 시작되고 있다)로 된다. 'largement chanté(폭넓게 연주할 것)'라고 표기된 이 중간부 주제는 라벨로서는 이례적인 것으로 긴 선율로 되어 있으며, 옥타브가 풍부한 음으로 연주되기 때문에 한층 더 눈에 띄며 주요 주제와는 매우 좋은 대조를 이룬다. 이것은 처음에는 2도의 겹음으로, 나아가 24 부터는 4도 중복 화음으로 반주된다. 이윽고 그 울림이 멀어지며, 42 부터 올림다 장조로 앞의 경과 부분(12 부터가 해당 부분)이 재현되고, 48 부터 곡 머리의 음향이 다시 돌아온다. 이 부분은 처음의 종 2개만이 짧게 재현되며, 50 부터 새로운 제5의 종이 나타나 완전 4도의 중복 울림(올림사(G♯)—올림다(C♯)—올림바(F♯)) 속에서 서서히 사라진다.

교정 보고
연주 노트

──YOSHIKI MORIYASU──

범 례

1. 춘추사판(태림출판사 발행) 〈라벨 피아노 작품 전집〉은 자필 악보, 필사 악보 및 초판 악보에 근거한 원전 비평판으로서, 미발표된 6곡의 푸가(그 중 5곡은 로마 대상 콩쿠르 응모용으로 작곡된 것) 외의 것과 편곡된 것을 제외한 라벨의 피아노 독주용 전 작품을 작곡 연대순으로 수록하였다. 사정상 모든 작품의 1차 자료를 접할 수는 없었지만, Roger Nichols 및 Nancy Bricard의 최신 교정판을 활용함으로써 그것을 거의 보완할 수 있었으며, 참고 자료로서 이제까지 간행된 거의 모든 출판 악보를 사용했다.

2. 교정자에 의한 텍스트에의 부가·보충은 [ ] 등의 괄호로, 붙임줄·이음줄 등의 교정·부가에 대해서는 점선으로 표시했으며, 교정·삭제에 관해서는 교정 보고에 명기했다. 어쩔 수 없는 이유로 이상의 원칙을 따르지 못했을 경우에는 그 내용을 기재했다.

3. 임시기호는 가능한 한 작곡자의 자필 악보에 가깝도록 노력했으나, 라벨의 작품에 자주 등장하는 ♪와 같은 생략기호는 ♪처럼 고쳤다. 주의 임시기호에 붙은 괄호를 본서에서는 생략했다. 교정자의 판단으로 첨가한 주의 임시기호에 대해서는 상세히 언급하지 않는 것을 원칙으로 하였다.

4. 라벨의 기보는 때로 상·하 어딘가 한 쪽 단의 표기에 적힌 8----가 다른 단에까지 효력을 갖는 경우가 있으나, 오해의 우려가 있으므로 이런 경우에는 필히 다른 쪽의 단에도 8-----을 써 넣었다.

5. 이탤릭체로 표시한 운지 숫자는 작곡자가 표시한 것이나, 출판 악보 외에는 개인적인 복사본에 기입된 것이며 그 외의 것도 포함된다.

6. 페달 지시는 모두 자필 악보 그대로이다.

7. □ 안에 쓰인 숫자는 마디 번호를, 상·중·하는 각 보표의 상단·중단·하단을 나타낸다.

8. 음높이 표시는 독일식 음명을 사용하였다.(G음 기호 제2칸=a¹).

약 자

A = Autograph / 자필 악보

BR = Nancy Bricard 교정, Alfred Masterwork Edition, Alfred Publishing Co., Van Nuys, Calif. USA / 브리카드판

C = Copy / 필사 악보

CAS = Robert+Gaby Casadesus 교정, Great Performer's Edition, G.Schirmer, New York / 카자드쉬판

DEM = E. Demets, Paris / 드메

DUR = Durand & Cie, Paris / 듀란

EMB = Editio Musica Budapest / 에디티오 무지카 부다페스트

EN = Enoch, Paris / 에노크

ES = Max Eschig, Paris / 막스 에쉬그

EU = E. Eulenburg, London / 유렌부르그 (오케스트라 스코어)

INT = International Music Company, New York / 인터내셔널

NIC = Roger Nichols 교정, Urtext Edition, Edition Peters, London / 니콜스판

MA = A. Z. Mathot / 마토

PH = Günter Philipp 교정, Edition Peters, Leipzig / 필립판

PWM = Polskie Wydawnictwo Muzyczne, Warszawa-Kraków / 폴란드 음악 출판사

SAL = Editions Salabert, Paris, New York / 사라베르

SI = G. Schirmer, New York / 샤머

SO = Schott & Co., Mainz, London / 쇼트

A¹, A²는 자필악보의 제1원고 및 제2원고를, SO¹, SO²는 쇼트판의 제1판 및 제2판(혹은 개정판)을 나타내는 것이다. 특히 구별할 필요가 없는 한 숫자는 생략하였다.

교정 보고

라벨 피아노곡의 출판악보에 관하여

라벨의 출판 악보에 오자, 탈자가 많은 것은 식자들 사이에서는 오래 전부터 알고 있는 사실이다. 작곡가 사후 50년간(라벨의 경우는 1987년까지)의 판권은 각 출판사(모두 프랑스 회사)가 소유하였는데, 그 동안에 아주 작은 음표의 오기가 정정된 것을 제외하면 라벨의 작품은 개정되지 않았다.

〈죽은 왕녀를 위한 파바느〉, 〈물의 장난〉, 〈거울〉 등의 판권을 소유하고 있던 '드메(Demets), DEM'는 이 곡들도 결국 '맥스 에쉬그(Max Eschig), ES'에 프랑스 국내 전매권을 넘겨주었으며, 'ES'에서는 초판의 복사판을 그대로, 혹은 약간의 개정을 해서 간행했다. 그러므로 말하자면 'DEM＝ES'라고 볼 수 있다(N. 브리카드에 의하면 〈거울〉 초판의 실질적인 출판자는 ES). 'ES'의 초기 출판 악보 표지에는 작곡가의 친필로 〈작곡자가 친히 교정한, 자필 악보에 충실한 유일한 프랑스판 모리스 라벨〉이란 서명이 잉크 자국도 선명하게 인쇄되어 있어 말하자면 보증서인 셈이지만, 사실은 이것이 '겉과 속이 다른 것'으로 내용은 문자 그대로 잘못투성이이며, 그의 출판 악보 중에서도 가장 형편없는 상태인 것이다. 1991년 발행된 〈거울〉에 이르러서는 개선되기는커녕, 판의 마멸로 이곳저곳의 스타카토 점을 비롯해 음표 머리까지 소실되고 만 형편이었다. '라벨의 악보는 오점 투성이'라는 세평의 상당 부분에 대해서는 'DEM＝ES'가 책임을 지지 않으면 안 된다. DEM은 그 후 위 세 작품의 독일어·영어권 전매권을 '쇼트(Schott), SO'에 양도했고, 이 회사는 리프린트가 아닌 'DEM＝ES'의 출판 악보를 바탕으로 새롭게 판을 짜, 중판을 낼 때 약간의 수정을 하고 현재에 이르렀다. 하지만 'DEM＝ES'의 악보에 기초를 둔 이상 개정을 했다 해도 거기에는 어느 정도 한계가 있기 마련이다.

초판에 있는 많은 오자, 탈자는 출판사뿐만이 아니라 작곡가 자신에게도 책임이 있다. 〈물의 장난〉과 〈거울〉의 제1곡 '나방'의 경우처럼 결정 원고를 만들지 않고——아니면 결정 원고를 만든 후에——초교 교정쇄 단계에서 작품에 자꾸 손을 댄다면(쇼팽이 가끔 이런 방법을 취했다), 교정 작업 자체가 소홀해지는 것은 당연한 일이다. '저자가 반드시 좋은 교정자가 되라는 법은 없다'는 말은 익히 들어 알고 있지만, 스트라빈스키가 '스위스의 시계공'이라고 일컬었던, 라벨의 정교하고 치밀하며 세심한 두뇌도 이 시기의 악보 작성과 교정이라는 실제적인 작업에서는 효과적이지 않았던 것 같다.

라벨은 자작 초판이 나올 때마다 그 중 한 권을 교정본으로 삼았던 것 같다. 여기서 볼 수 있는 정정 중에는 그에게서 가르침을 받았던 피아니스트들(R. 카자드쉬, V. 페를뮤테르, J. 페브리에 외 다수)의 질문이나 건의에 의한 것들도 적지 않을 것이다. 악보의 오기란 실제로 이것을 사용했던 사람이 가장 잘 알고 있는 법이기 때문이다. 하지만 어쨌든 작곡가 생전에 이런 교정 원본을 출판사에서 충분히 활용한 흔적은 없다.

'듀란(Durand), DUR'은 라벨의 전 작품 중 약 $\frac{2}{3}$를 출판하였는데, 그 중 잘못된 악보가 많다고 하지만, 'DEM＝ES'의 것과 비교하면 제법 정확하다고 할 수 있다. 그 이유 중 하나로 이 시기에는 작곡가 자신이 교정에도 경험이 쌓여 일이 손에 익은 탓도 있겠으나, 라벨과 가까이 지내던 음악가 L. 가르뱅(Lucien Garban, G장조의 협주곡을 2대의 피아노용으로 편곡하였음)이 이 회사에 근무하고 있어, 악보 출판시 엄중한 검사를 했기 때문이다. 그리고 가르뱅이 별도로 만든 교정 원고도 오늘날까지 남아 있다.

1988년, 판권 기한의 만료와 함께 여러 나라에서는 앞다퉈 라벨의 신판을 간행하기 시작했는데, 그 중에서도 간행을 앞두고 있는 G. 필립(Günter Philipp)이 교정한 라이프찌히 페텔스판(PH)과 R. 니콜스(Roger Nichols)가 교정한 런던 페텔스판(NIC)은 매우 규모가 큰 기획물이다. 그 중 특히 후자는 'Urtext Edition'으로 위대한 업적이며, 각종 1차 자료를 종횡으로 구사하여 학문적 가치가 높으며, 이미 간행된 자료는 본서 교정자로서도 크게 덕을 보았다. 그리고 미국에서는 로스앤젤레스에서 N. 브리카드(Nancy Bricard)가 교정한 신판(BR) 〈밤의 가스파르〉와 〈거울〉이 간행되었다. 학문적인 엄정함이라는 측면에서 보면 NIC보다 못하지만, 연주법상 실용적으로 많은 코멘트를 가한 원전 비평서로서는 매우 뛰어나다. 그 중 특히 〈거울〉은 NIC판이 미발행 상태이므로 1996년 현재 최고라 해도 과언이 아닐 것이다.

【라벨의 피아노 작품 초판 출판사와 출판연도 일람】

작 품	출판사	출판연도
그로테스크한 세레나데	SAL	1975 (사후출판)
고풍스런 미뉴에트	EN	1898
죽은 왕녀를 위한 파바느	DEM(ES)	1900
물의 장난	DEM(ES)	1902
소나티네	DUR	1905
거 울	DEM(ES)	1906
밤의 가스파르	DUR	1909
하이든의 이름에 의한 미뉴에트	DUR	1910
고귀하고 감상적인 왈츠	DUR	1911
전주곡	DUR	1913
보로딘풍으로	MA(SAL)	1914
샤브리에풍으로	MA(SAL)	1914
쿠프랭의 무덤	DUR	1918

❖ 그로테스크한 세레나데 (c. 1893)

초   판 : Sérénade grotesque, SAL 1975*1
자필 악보 : Alexandre Taverne 부인 소장*2
참   고 : PH

*1 교정자: 오렌스타인 Arbie Orenstein.
*2 자필 악보의 타이틀은 Sérénade.

1 (상) A: 마디 끝의 16분쉼표가 빠졌다.

2, 6 (상하)A: 두번째 박자의 g, g¹에 ♮이 빠졌다.

3 (하) A: 두번째 박자 앞의 a-h를 gis-a로 오기함.

6 (상) PH: 두번째 박자 화음의 cis¹에 덧줄이 빠졌다.

9, 10 (상하) 모든 16분음표에 스타카티시모가 들어간다.

11, 12 (상) SAL은 이 사이의 8분음표에 찍힌 스타카토를 잘못 읽어 여기를 로 인쇄, PH도 이것을 그대로 받아들였다. 11 두번째 박자의 g²에 붙은 ♮은 물론 올렌스타인에 의한 가필로 A에서는 보이지 않는다. 그리고 이와 같은 곳인 154 에는 이곳이 축소된 상태로 재현되고 있으므로 참조할 것.

14 (상) SAL, PH: 마디 끝의 8분음표에 테누토 기호가 빠졌다.

21 (상) SAL, PH: 두번째 박자부터의 ◁ 가 빠졌다.

23 (상) SAL: 첫번째 박자의 8분쉼표 및 다음 화음의 아르페지오 기호가 빠졌다.

25 (상) SAL, PH: 각 화음에 스타카티시모가 빠졌다.

33 34 (상) SAL, PH: 겹음 및 화음의 모든 스타카티시모가 빠졌다.

42 (상) 라벨은 이 작품의 모든 두잇단음을 처럼 기보하고 있다. 악전(樂典)적으로는 PH에서 보이는 바와 같이 이것을 처럼 표기해야 하는데, 이를 굳이 까다롭게 말한다면 1 의 음형은 75 에서 2배의 음가로 나타내게 되어, 시각적으로 약간의 거부감을 느낀다. 본서에서는 75 , 143 에 $\frac{6}{8} = \frac{2}{4}$ 의 보필을 가해 오리지날 기보를 그대로 남김.

46 (상) PH: 마디 맨 끝 화음의 d¹에 ♮이 빠짐.

61 62 (하) 모든 8분음표에 스타카토점이 들어가 있음(62 에서는 상단에도). 또한 129 130 에도 같은 처리가 됨.

62 (하) PH: 제1화음의 베이스 ges를 es로 오기함.

68 69 (하) 68 네번째 박자부터 69 세번째 박자까지 있는 6개의 8분음표에 스타카토 점이 삽입되었다(136 137 에서도 같음).

69 ~ 70 , 137 ~ 138 (하) 올렌스타인은 어쩌면 62 ~ 63 과의 유추에 의해서 69 및 137 의 후반부 이후의 베이스 C는 ♭이 누락된 것이며, Ces가 맞는 것이 아닐까 하는 설을 주장하고 있으나 이것에는 찬성할 수 없다(PH는 이에 따르고 있다). 아래 적힌 것처럼 67 ~ 68 과 69 ~ 72 의 화성 구조를 나란히 비교한다면, 후자는 전자를 5도 아래=4도 위로 이동시켜 음가를 확대시킨 것에 지나지 않으며, 69 의 베이스에 ♭을 붙일 필요는 전혀 없다(137 ~ 138 에서도 동일).

71 (상하) A에서는 이곳과 131 , 139 등에서 의 음형에 대한 터치 지시가 제각각이다. 본서에서는 이들을 모두 63 과 통일시켜 로 했다.

75 42 참조.

77 (상) SAL: 두번째 박자 제1화음의 16분음표를 8분음표로 오기하였다.

93 (상) PH: 네번째 박자의 화음 a¹에 ♯가 잘못 들어갔다.

93 95 (상) 각 화음에 스타카티시모가 들어 있다.

104 ~ 107 (상) 이 사이 마디에 걸쳐 있는 2개의 패시

지에 각각 ◁ ▷ 가 들어 있다.

114 (상하) 원래 두번째와 세번째 박자의 각 8분음표에 스타카토가 있었는데, 이곳과 같은 모든 곳에 스타카티시모로 바뀌어 들어갔다.

151 ~ 153 (상) 모든 16분음표에 스타카티시모가 삽입되었다.

154 (상) PH: 두번째 박자로의 꾸밈음들 중 e²를 c² 로 오기함.

❖ 고풍스런 미뉴에트 (1895)

초   판 : Menuet antique, EN 1898
자필 악보 : Alexandre Taverne 부인 소장*
참   고 : INT, PH 그 외 : 작곡자에 의한 오케스트라
            용 편곡 EN

      * 두 종류가 있으며, 모두 1895년 11월 날짜가 찍
      혀 있음.

PH에서는 처음 8마디 사이에 반복 기호를 넣지 않고 인쇄했으므로, 대조 확인해 볼 경우에는 9 이하의 마디 번호에 주의해야 한다.

4bis = PH의 12 (하) 두번째 박자 앞을 cis¹-e¹-gis¹로 오기.

8a (하) 모든 자료에서 첫번째 박자 다음의 겹음 dis에 #가 빠졌다.

8b 세번째 박자 다음에 오케스트라판에 의해 𝒎𝒑가 들어감.

8b ~ 9 양 마디 사이에 85 ~ 86과 통일시켜 겹세로줄이 들어감.

13 (하) PH 이외의 여러 판에서는 겹음 dis-ais에 각각 #가 빠졌고, 또한 모든 자료에서 두번째 박자 다음 겹음에 테누토 기호가 빠졌다(이상 90도 동일).

15 (하) PH 이외의 여러 판 : 첫번째 박자 다음 화음의 dis에 #가 빠짐(92에서도 동일).

19 (상) PH 이외의 여러 판 : 첫번째 박자 앞에 소프라노를 위한 8분쉼표가 빠졌다(96에서는 모든 자료가 동일).

19 (하) PH 이외의 여러 판 : 두번째 박자 다음의 겹음 f-c¹에 각각 ♮이 빠졌다(96에서도 c¹에 대해서는 동일).

21 (하) PH 이외의 여러 판 : 첫번째 박자의 f에 ♮이 빠지고, 두번째 박자 다음의 베이스 성부에 8분쉼표가 빠졌다(이상 98에서도 동일하다). 그리고 세번째 박자 앞의 B-des의 8분음표에 부점이 빠졌다.

24 (상) 오케스트라 판에 의해 두번째 박자 다음부터 소프라노에 이음줄이 삽입되었다(101에서도 동일).

25 (상) PH 이외의 여러 판 : 첫번째 박자 cis에 붙어야 할 하향 8분음표 꼬리를 4분음표로 오기함(102에서도 동일).

28 (상) PH 이외의 여러 판 : 소프라노 제1음 h²가 27에서 시작되는 이음줄을 연결하지 않음. EN에서는 27 ~ 28 사이에서 페이지가 바뀔 때 빠진 것 같고, 다른 판도 이것을 보충하지 않았다.

35 (상) 세번째 박자 앞 내성 e-g는 원래 8분음표로 표기되어 있었으나, 이것을 16분음표와 16분쉼표로 고쳐서, 다른 것과 통일시켰다(112도 이것과 동일하다).

37 (상) PH 이외의 여러 판 : 소프라노 두번째 박자 다음 cis²를 다음과 묶는 붙임줄이 빠졌다.

41 (하) PH 이외의 여러 판 : 마디 제일 끝 fis¹에서 시작되어 42 두번째 박자 앞에 이르는 이음줄의 머리 부분이 빠졌다. 줄이 바뀌면서 발생한 잘못이다(118도 동일).

43 (하) PH는 세번째 박자 앞의 8분음표를 16분음표 및 16분쉼표로 바꾸었으나 이것은 아마도 상단 기보에 영향을 받은 착각이다(PH에서 이곳과 같은 120에서는 8분음표 그대로 되어 있다).

46 ~ 53 오케스트라용 편곡에서는 여기를 반복하지 않는다.

48 (하) PH : 두번째 박자 이하의 내성 중 4개의 8분음표에 이음줄이 빠졌다.

53b ~ 54 PH : 이곳의 겹세로줄을 세로줄로 바꾸어 놓았다.

71 (상) EN에서는 70에서부터 시작되는 이음줄과 ▷ 의 꼬리 부분이 빠져 있으나, 70 ~ 71 사이의 줄 바뀜에 의해 빠진 것. INT 외에도 여러 판에 그대로 되어 있다.

85 (하) EN : 세번째 박자 다음 화음의 His에 붙어야 할 #가 cis에 잘못 붙었다.

99 (상) PH : 소프라노의 두번째 박자 앞에서 끝나야 할 이음줄이 잘못하여 그 다음 박자까지 연장되었다.

107 (상) EN : 소프라노가 앞 마디부터의 ▷ 를 연결하지 않았다(줄이 바뀌면서 생긴 잘못이다).

108 (상) PH : 세번째 박자 제1음 gis²를 e²로 오기.

115 (상) PH : 내성 세번째 박자 다음의 g¹-d²를 16분음표로 오기하였다.

121 (상) PH : 첫번째 박자 다음의 내성음 fis³를 16분음표로 오기하였다.

❖죽은 왕녀를 위한 파바느 (1899)

초　　판 : Pavane pour une Infante défunte, DEM 1900
자필 악보 : 소재 불명
참　　고 : ES, SO, PWM, PH, NIC 그 외: 오케스트라
　　　　　 용 편곡 EU

메트로놈 지시: 초판 DEM에서는 ♩=80, 뒤이어 ES에서 나온 DEM의 리프린트에서 이것이 ♩=54로 수정되었다. 1910년 오케스트라용 편곡에서도 ♩=54. PH, NIC에서는 ♩=54~80으로 했지만, ES의 템포 변경이 라벨 자신에 의해 이루어졌음이 거의 확실하므로, 본서에서 80이라는 수치는 다루지 않기로 한다.

1 ~ 6 (하) 오리지날에는 이 사이의 기보가 통일되지 않았고, 1, 4, 5, 6 에는 스타카토 점만, 2 에는 전반부가 테누토 스타카토, 후반부에는 기호가 없음; 3 에서는 모두 테누토 스타카토. 이들을 NIC에 따라 모두 테누토 스타카토로 했음.

4 (상) 원래 3 에서 시작된 이음줄이 4 의 첫번째 박자에서 끝나고, 이 음에서 이음줄이 새로 시작되었는데, 이곳과 같은 곳을 통일시켜 이들을 하나로 묶었다.

6 원래 네번째 박자 앞에 표시되어 있던 *cédez*와 *mf*의 지시를 세번째 박자 다음으로 옮겼다.

7 (하) 6 부터의 연결로 볼 때 H 쪽이 오히려 자연스럽게 생각되지만, 모든 자료가 이것을 d로 했으며, 오케스트라 편곡도 같다.

10 (상) 여러 판에서 *un peu retenu* 지시가 너무 빨리 두번째 박자 다음에서 시작되었다. 세번째 박자 앞의 내성음 e¹에 원래는 불필요한 테누토 기호(SO에서는 이것을 테누토 스타카토로 했다)가 붙어 있었는데, 붙임줄 끝에서 이 기호가 지워짐.

13 ~ 14 (상) 초판 이후 여러 판에서 소프라노를 위한 이음줄이 빠졌다.

15 (상) DEM, ES: 소프라노 두번째 박자의 e²에 붙임줄이 빠졌다.

16 (상) SO, PH, PWM 그 외의 여러 판 : 마디 후반의 8분음표들에 스타카토 점이 빠졌다.

17 (상) NIC, PWM 이외의 여러 판 : 세번째와 네번째 박자의 내성에 4개의 8분음표에 실수로 스타카토가 붙어 있고, 여기에 이음줄이 붙어 있다.

17, 24 (상) DEM: 소프라노 마지막의 8분음표 cis²에 ♯가 빠졌다.

20 (상) DEM, ES: 소프라노 두번째 박자의 g²에 붙임줄이 빠졌다.

25 원래 두번째 박자에 있던 *mf*가 첫번째 박자로 옮겨짐.

25 (하) NIC 이외의 여러 판: 모든 테누토 기호가 빠졌다.

26 원래 네번째 박자에 있던 *f*가 세번째 박자로 옮겨짐.

27 (상) 모든 판 : 세번째 박자 앞 화음의 h에 ♮이 빠졌다.

32 (하) 초판 이래의 모든 판에서 두번째와 네번째 박자의 화음에 아르페지오 기호가 붙어 있으나 NIC에 따라 이들을 삭제함.

33 (상) 원래 세번째 박자 앞 화음 위쪽에 >가 있었는데, 이것은 8분쉼표가 잘못 읽혀진 것이다.

34, 66 (상) 꾸밈음들 중 h¹은 다음 마디 첫번째 박자의 그것과 붙임줄로 묶여야 하는 것인지도 모름.

34, 66 (하) NIC에 따라 원래 네번째 박자 다음에 오는 꾸밈음들의 제1음 h에서 하향 4분음표 기둥이 8분으로 바뀌었다. 왜냐하면 이 음들을 네번째 박자 앞에서 시작하면 안 되기 때문이다.

35 (하) 네번째 박자 다음의 8분음표는 이와 같은 곳인 67 에서는 h-c¹-e¹. 모두 오기 가능성 높음.

36 PH는 두번째 박자의 붙임줄로 묶인 화성음을 상, 하단 모두 4분음표에서 8분으로 바꿔 썼는데, 68 에서는 그렇게 하지 않았음.

39 (상) PH: 네번째 박자의 d¹이 4분음표에서 8분음표로 바뀌어 쓰였다.

39, 71 (상하) 이들 마디의 모든 온음표는 원래 붙임줄로 묶였던 2개의 2분음표로 쓰여져 있었다.

40 (상) 모든 판에서 첫번째 박자 앞의 겹음 아래 불필요한 테누토 기호가 있고, 네번째 박자 다음에는 NIC를 제외한 모든 판에서 이것이 빠졌다.

41 (상) DEM: 첫번째 박자 다음 화음의 b²에 ♭이 빠졌다.

41 ~ 42, 51 ~ 52 (하) DEM, ES 그 외: 세로줄에 걸쳐 있는 베이스 g의 붙임줄이 빠졌다.

42 (하) DEM, ES: 첫번째 박자 다음의 겹음이 4분음표로 잘못 표기되었다.
SO¹, PH: 베이스 두번째 박자 다음의 G에 붙임줄이 빠졌다.

42, 45 (하) 원래 두번째 박자 다음에 있던 *Ped.* 지시가 두번째 박자 앞으로 옮겨져 있음.

44 (상) 여러 판에서 소프라노의 제2음 f²에 ♮이 빠졌다.

44 ~ 45 (상) 원래 44 첫번째 박자 다음에서 45 두번째 박자 앞까지의 내성에 이음줄이 표기되어 있었으나 이곳과 같은 곳에서 모두 지워짐.

45 (상) 여러 판에서 첫번째 박자 다음 화음의 es², 네번째 박자 다음 화음의 b에 각각 ♭이 빠졌다. 후자에 대해서는 55 에서도 동일하다.

46 원래 두번째 박자에 *f*로 표기되어 있었으나 *sf*로 고쳐진 것이다.

46 , 56 (상) 거의 모든 판에서 세번째 박자 다음 화음의 b에 ♭이 빠졌다.

47 ~ 48 (상) DEM, ES, SO: 47 끝에서부터 세로줄에 걸친 이음줄이 빠졌다.

48 NIC 이외의 모든 판에서 *très grave*와 *p*의 지시가 너무 빠르다. 이들은 네번째 박자부터 시작되어야 한다.

49 원래 50 첫머리에 있던 *pp*가 49 두번째 박자 다음으로 옮겨져 있다.

49 ~ 50 (상) 이와 같은 곳들과 같이 49 끝에서 시작되는 〈 가 보충되어 있다.

50 (상) 모든 판에서 세번째 박자의 꾸밈음들 중 g²와 b²가 다음 4분음표와 붙임줄로 묶여 있지 않다. 본서에는 54 와 같이 이들을 보충하였다.

50 (하) DEM: 세번째 박자 앞에 높은음자리표가 빠졌다.

51 (상) DEM, ES, SO 그 외: 첫번째 박자 다음 화음의 b²에 ♭이 빠졌다.

NIC: 첫번째 박자 다음 내성음을 위한 하향 8분음표 꼬리를 4분으로 오기하였다.

NIC 이외의 모든 판: 소프라노 두번째 박자 다음의 8분쉼표가 실수로 꾸밈음들의 제4음 위로 이동하였다(55 에서도 동일).

ES: 꾸밈음들의 마지막 8분음표(a³)를 32분음표로 오기하였다.

53 원래 54 첫머리에 있던 *p*가 53 끝으로 옮겨졌다. NIC는 이것을 *pp*로 바꿔 썼다.

53 ~ 55 (상) 이와 같은 곳에 모두 〈 〉 가 들어갔고, 내성 각각의 반복음에 테누토 기호가 첨가되었다.

54 원래 16분음표로 표기되어 있던 꾸밈음들이 32분음표로 쓰여 있다.

55 (상) 원래 첫번째 박자 다음 화음에 a¹이 붙어 있었으나(a¹-c²-es²-f²), 여기와 같은 곳에 일치시켜 이를 없앴다. 그리고 소프라노 두번째 박자 g²는 원래 4분음표였으나 8분음표로 고쳤다. 이상은 NIC를 따랐다.

56 ~ 57 (상하) SO: 56 후반에서 시작되는 이음줄이 57 에 연결되어 있지 않다(줄이 바뀌면서 누락됨).

57 ~ 58 (상하) 여러 판에서 57 세번째 박자 다음의 점4분음표를 47 ~ 48 에 맞추어 4분음표와 8분쉼표로 기보하고 있으나, 양자의 이음줄 사용 방법이나 〉 의 기록법이 약간 다르므로 ES에 따라 점4분음표로 두었다.

57 (하) NIC 이외의 모든 판에서 세번째 박자 앞의 화음 c¹에 ♭이 붙어 있는데, 이것은 아마 b에 붙어야 할 주의 임시기호가 잘못 붙은 것이라고 생각되어 본서에서는 삭제함. 그리고 ES에는 이 화음의 f와 c¹에 점이 빠져 있다. 그리고 이 마디 끝에서 58 로 가는 짧은 이음줄과 〉 가 거의 모든 판에 빠져 있다.

DEM: 마디 마지막 화음에 4분음표 기둥이 잘못 붙어 있다.

58 (상) 원래 세번째 박자의 옥타브 g-g¹ 밑의 g가 상하 양단에 겹쳐 표기되어 있었으나, 상단의 것을 지움. 그리고 이 옥타브 위에 붙어 있던 테누토 기호를 48 과 일치시켜 지움.

58 (하) DEM, SO, PH: 첫번째 박자 앞의 f에 ♮이 빠졌다.

61 ~ 62 (상) 60 에서 시작되는 소프라노 이음줄은 원래 62 첫부분까지 닿아 있었으나, 이곳을 같은 곳과 일치시켜 61 끝까지로 한다.

67 (하) 35 를 참조.

70 여러 판에 *f*가 첫번째 박자 앞에 잘못 쓰여 있다.

❖ 물의 장난 (1901)

초   판 : Jeux d'eau, DEM 1902
자필 악보 : A¹ *¹ : Bibliothèque Nationale, Paris 음악부문 소장*²
A² *¹ : Robert Owen Lehman Collection 소장 (Pierpont Morgan Library, New York에 위탁)
참   고 : ES, SO, SI, CAS, PH, NIC 그 외 다수
*1   A¹, A² 모두 결정 원고가 아님.
*2   1901년 11월 11일 소인이 있음.

A¹, A² 모두 메트로놈 표시 없음.

1 ~ 8 (하) 이 사이의 이음줄은 A²에 따른 것이다. 기타의 자료에는 이들이 매우 불완전한 모양으로만 되어 있다.

2 (상) DEM, ES에서는 첫번째 박자에만 이음줄 : SO에서는 두번째 박자에도 있음. 그러나 A¹, A²에는 본서와 같이 마디 전체에 하나의 이음줄로

표시되어 있다.

⑤(하) 내성음인 b-gis¹의 기보가 A²에서는 ♪♩.♪, 다른 모든 자료에는 ♩.♪♩.♪로 되어 있으나(SO¹에는 맨 앞의 8분쉼표가 빠졌다), SO²에서는 이것을 ♪♩.♪♩.♪로 정정했다(PH도 이에 따름). 아마 원래는 A²처럼 쓰였던 것이 두번째 박자와 네번째 박자 다음의 화성 변화로 인한 충돌을 피해 이곳에 8분쉼표를 쓰고, 무심코 점4분음표를 점8분음표로 바꿔 쓴 탓으로 이렇게 부정확하게 기보되었다고 생각한다. 본서에서는 CAS, NIC에 따라 ♪♩.♪♩.♪를 쓰기로 했는데, 이것이 가장 명확할 것이다.

⑥(상) 마디 맨 마지막 64분음표들에 A¹대로 이음줄이 보완되어 있음. PH는 A²에 따라 세번째와 네번째 박자 전체가 하나의 이음줄로 모아졌다.

⑥(하) 마디 후반부에 NIC에 따라 이음줄이 보완되었다.

⑬ ⑭ A² : <크레셴도 데크레셴도> 가 빠졌다.

⑳(하) A² : 첫번째 박자 앞에 꾸밈음 h가 빠졌다.

㉒(하) 첫번째 박자에 있는 2개의 8분음표에 붙은 >가 A¹, A²에서 보인다. DEM 후의 거의 모든 출판 악보에 이것들이 빠졌다.

㉔(하) 마디 처음의 32분음표에 붙은 >가 A¹, A²에서도 보인다. DEM 후의 거의 모든 출판 악보에 이것이 빠졌다.

㉔ ㉕(하) A² : 양쪽 마디의 2·4박자에서, 각 박자 제일 끝 32분음표가 각각 f, f, f¹, f²가 아니고 g, g, g¹, g²로 되었다.

㉘(상) DEM, ES : 세번째 박자 다음의 16분쉼표가 32분쉼표로 오기되었다.

㉛(상) SO, PH : 두번째 박자 다음 및 네번째 박자 다음의 8분음표에 >가 빠졌다.

㉝(하) A¹, DEM에서 세번째 박자 화음의 e에 ♮이, 네번째 박자 화음의 eis에 ♯가 각각 빠져 있지만, A²에는 이것들이 있다. 나중에 나온 여러 판 대부분은 이들 부분과 윗단 동일한 곳(세번째 박자 마지막과 네번째 박자 제2음)의 e¹에 ♮이, eis¹에 ♯가 빠졌다.

㉞(상) DEM, ES¹ : 첫번째~세번째 박자의 마지막 16분음표가 각각 8분음표로 오기되었다.

㉞(하) SO, PH, CAS 이외의 판에서는 네번째 박자 제1음 ais¹에 4분음표 기둥이 빠져 있으나 ㉟의 같은 부분과 일치시켜 이것을 보완해야만 한다.

㉟(하) DEM, ES¹ : 두번째 박자 앞의 베이스 ais, 세번째 박자 내성 d¹의 8분음표에 각각 점이 빠짐. NIC 이외의 모든 판 : 세번째 박자 제2음의 cis¹에

붙어야 할 >가 d¹에 붙음(㊲(하) 세번째 박자의 eis에 붙은 >에 대해서도 같은 상황으로 fis-ais의 겹음에 붙어 있다).

㊲(상) CAS, NIC 이외의 다른 판 : 마디 끝의 꾸밈음들 중의 열두번째의 g²에 ♮이 빠졌다. 그리고 맨 마지막 d³에도 ♮이 보완되어야 한다(이곳은 A에 있다).

㊲(하) DEM, ES, SO¹ : 네번째 박자 앞의 여섯잇단음 그룹 중 제4음 d¹에 ♮이 빠졌다.

㊳ SO, PH : (le chant) un peu en dehors를 un peu dehors라고 오기.

㊳ ㊴(상) DEM, ES, SO¹ : 세번째 박자 맨 마지막의 fis²에 ♯♯가 빠졌다.

㊵(상) 원래 소프라노의 8분음표에 4음씩 이음줄이 붙어 있었으나, NIC를 따라 ㊷와 통일시켜, 이것들을 한 줄로 모았다.

㊶(상) NIC 이외의 모든 자료에서 첫번째와 두번째 박자의 32분음표들에 4음씩 이음줄이 빠졌다. A¹, DEM, ES¹, SO¹ : 세번째 박자 제5음 gis²에 ♯가 빠졌다(A²에 있음).

㊶(하) DEM, ES, SO : 마디 후반부의 이음줄이 빠졌다(A¹, A²에 모두 있음).

㊷(상) A¹, A² : 32분음표들에 각 4음씩의 이음줄이 빠졌다. DEM, ES에서는 마디 후반부에서만 이것들이 빠졌다. DEM, ES, SO, PH : 두번째 박자 마지막 두번째 32분음표 ais²에 ♯가 빠졌다.

㊸(상) A¹, DEM : 세번째 박자의 제6음 a²에 ♮이 빠졌다. 많은 출판 악보가 동일하나, A²에는 있다.

㊸~㊺(하) NIC에 따라 이음줄이 들어가 있음.

㊽(상) 거의 모든 판에서 두번째 박자의 열잇단음 일곱번째의 ais²에 ♯가 빠져 있으나, A¹, A²에는 있다.

㊿(하) DEM, ES, SO¹, CAS : 붙임줄로 ㊾와 묶인 베이스 A²에 ₈ˍˍˍˍ가 붙어 있지 않다.

㊼(상) DEM, ES : 첫번째 박자 2개의 8분음표가 각각 16분음표로 오기.

㊽(상) 두번째 박자에 A²에 의해 데크레셴도 를 보완함. A¹, DEM 등에는 보이지 않는다. SO : 네번째 박자 앞 상하 양단에 걸친 음형이 오기되었다.

㊾(상) A¹, A² : 첫번째 박자 마지막 32분음표가 his²-d³의 겹음. 두번째 박자에서도 1옥타브 위로 동일하다.

⑥⓪(상하) DEM, ES¹, SO¹ 등에서는 네번째 박자에서 h², h¹, h가 처음 나올 때 ♮이 모두 빠졌다(A²에서는 보이지 않는다). h¹은 CAS에서, h는 ES²에서도 ♮이

보완되지 않았다.

60, 61 (하) 두번째 박자의 이음줄은 NIC에 따라 보완되었다.

63 (하) DEM, ES¹: 마디 끝에 낮은음자리표가 누락.

68 (상) A¹, A²: 네번째 박자 앞 일곱잇단음의 맨 끝 es⁴가 ges⁴로 오기됨. DEM, ES¹에서도 동일하다.

69 (상) 초판 이후 여러 판에서 마디 맨 끝 일곱잇단음의 끝 b¹과 es²에 ♮이 빠졌다. 후에 정정된 여러 판에도 b¹에서 그것이 빠진 경우가 많음. 특히 CAS는 b¹에 ♮이 잘못 붙어 있다.

69 (하) 초판 이후 여러 판에서 네번째 박자 앞 일곱잇단음의 맨 처음 dis¹에 ♯가 빠졌다.

70 (상) PH, NIC 이외의 모든 판 : 네번째 박자 앞 셋잇단음에서 잘못하여 e에 16분음표 꼬리를, c에 8분음표 꼬리를 붙였다.

71 (하) 70에 2 Ped. jusqu'au❋라는 지시가 있으나, 이것에 대응하는 71 끝의 ❋을 DEM에서 빠뜨렸기 때문에 이후 많은 판에서 이것이 빠졌다.

72 NIC에 따라 제6군의 *fff* 뒤에 ▭와 *mf*가 보충되었다.

DEM에서는 제12군의 ais¹에서 ♯가 빠지고, A¹, DEM에서는 제20군의 g¹에 ♮이 빠졌다. 이후의 여러 판에도 그렇게 되어 있다. A²: 네번째의 *rall.* 지시가 *p* ▭와 동일한 위치에 놓여 있다.

76 (상) 여러 판에서 세번째 박자 맨 끝의 c¹과 네번째 박자 his를 연결하는 붙임줄이 빠졌다. 그리고 이것이 이음줄처럼 보이는 판도 있음.

77 ~ 78 (하) PH에 따라 아래쪽의 이음줄이 첨가됨.

79 (하) 마디 끝의 꾸밈음(A-e)은 A¹, A²에 의거함. DEM 이후 거의 모든 출판 악보에서 이것이 빠졌다.

81 (상) 네번째 박자 맨 첫 음은 A¹, A² 모두 cis³. 초판 이후로 여러 출판악보에서 이것이 h²로 오기.

81 (중하) A²: 3·4박자 화음의 양단에 걸쳐 아르페지오 기호.

84 (하) A¹에는 이곳에 *Ped.* 지시가 있으나, A²와 DEM에는 이것이 81 끝 부분으로 이동되어 있다. 이곳의 E-H가 A¹에서 온음표로 오기된 탓으로 초판 이후 여러 판이 이것을 답습. 그리고 SO² 및 PH에서는 이것에 𝄀 처럼 붙임줄 끝부분이 표기되어 있으나, SO²의 82에는 이에 대응하는 호선이 없다. PH에서는 82에 𝄀 과 *laissez vibrer*의 호선이 보완되었으나, 이상하게도 이 판의 교정자는 84에서 이 E-H를 다시 고쳐 치도록 지시하고 있다(연주 노트 참조).

85 A¹, A²: 박자 기호 **C** 지시가 빠졌다.

SO, CAS: 상하 양단 모두 *laissez vibrer*의 호선이 빠졌다.

❖ 소나티네 (1903~1905)

초   판 : Sonatine, DUR 1905
I Modéré II Mouvement de menuet III Animé
자필 악보 : 익명의 개인 소장*
참   고 : INT, SI, EMB, CAS, PH 그 외 다수
*제1악장만 있고 연필로 쓴 스케치이다. 결정 원고는 아니며, 제2·제3악장의 스케치 및 초판에 사용된 자필 악보는 소재가 불확실하다.

● 제1악장

7 (하) PH에 따라 두번째 박자부터 8에 ▭가 보완되었다(62에서도 동일).

11 원래 상단 위쪽에 적혀 있던 *f*를 이곳과 같은 곳인 66과 통일시켜 보표 중앙으로 옮김.

19 (상) DUR: 내성 이음줄이 빠졌다.

23 (하) DUR: 베이스 E-H의 4분음표에 점이 빠졌다. 원래 상단에 있던 첫번째 박자 다음의 겹음 d²-e²가 하단으로 옮겨졌다.

26a (상) DUR: 26a 첫번째 박자 다음에서 시작되어 28a 두번째 박자 앞에 이르는 프레이징 이음줄 머리가 빠져 있음. 같은 판 26a와 27a 사이에서 줄이 바뀌면서 발생한 실수인 것 같다.

28a (상) DUR: 두번째 박자 다음 fis² 음표 머리에서 불필요한 이음줄이 시작된다.

56 (상) 원래 소프라노 이음줄이 첫번째 박자 앞부터 두번째 박자 앞까지와 두번째 박자 앞에서부터의 이음줄로 나뉘어 있었는데, 31 ~ 32와 통일시켜 이들을 1줄로 모아 놓았다.

● 제2악장

16 (상) 초판 이후 여러 판에서 마디 끝에 있는 2개의 꾸밈음이 es², ges²가 하단 세번째 박자 8분음표 바로 앞에 위치하고 있으나, 라벨과 교분이 두텁던 여러 피아니스트들의 증언에 의하면, 작곡자가 이것들을 세번째 박자 다음, 17 바로 앞에서 연주되기를 바랬다는 사실이 증명되었다.

25 (하) CAS: es-b의 4분음표에 점이 보충되었다.

30 (하) EMB: 베이스 세번째 박자의 8분쉼표가 빠짐.

33 35 (하) 오리지날 기보에서는 베이스 *laissez vibrer*의 호선이 두번째 박자 뒤의 화음과 닿아 정확을 기하기 어렵다. 본서에서는 이곳의 베이스 및

Ped. 지시를 임시보표로 옮겼다.

[35] (하) EMB: *Ped.* 지시가 빠졌다.

[39] ~ [40] (하) DUR에서는 베이스 E의 *laissez vibrer* 호선이 [40] 세번째 박자의 E까지 이어져 있어 붙임줄로 잘못 보일 우려가 있다. 본서에서는 이것을 짧게 바꿔 썼으며, [40]의 E에도 호선이 새롭게 보완되었다.

[54] (상) PH: 소프라노 세번째 박자 다음 des³에 >가 빠졌다.

[76] (상) SI, EMB: his의 붙임줄이 빠졌다.
PH 이외의 모든 판: fis에 점이 빠졌다.

[78] (하) 모든 판에는 온쉼표로 되어 있는데, 본서에서는 4분쉼표로 고쳤다.

[79] (상) SI: 첫번째 박자의 2개의 16분음표가 각각 8분음표로 오기됨.

[79] ~ [80] 원래 하단 아래에 표시되어 있던 ⟨ 를 보표 중앙으로 옮겼다.

● 제3악장

[10], [11] (하) 이와 같은 곳과 일치시켜 [10]의 두번째 박자 이하의 각 박자 제1음에 하향 4분음표 기둥을 보완하였다.

[40] ~ [42] (하) [143] 이하와 일치시켜 각 마디 1·4박자 내성에 4분쉼표를 보완하였다.

[47] (상) PH: 세번째 박자 cis³가 a²로 오기됨.

[53] (상) EMB: 두번째 박자 제1음 e³에 4분음표 기둥이 빠졌다.

[59] (상) DUR: 이 마디 뒤에 겹세로줄이 있다.

[71] ~ [73] (하) DUR에서 [71] 끝에서 8╌╌를 마치고, 줄을 바꿔 [72] 아래 첫 박자부터는 8╌╌가 상단의 것과 겸용되어 있어, 나중에 나온 여러 판이 이것을 따랐으나, 오해하기 쉽다. 본서와 같이 하단에도 8╌╌를 붙여야 한다(범례 참조).

[73] (하) DUR: 첫번째 박자 화음의 ais²에 붙는 ♯의 위치가 부정확([75]에서도 1옥타브 아래로 동일하다).

[76], [77] (하) 각 박자 제1음에 하향 4분음표 기둥을 보완하였다.

[95] ~ [100] (하) CAS에 따라 이 사이에 베이스를 위한 4분쉼표가 보충되었는데, 원전에서는 찾아볼 수 없는 것이다.

[105] (상) 초판에서부터 많은 판에서 이음줄이 빠졌다.

[127] ~ [128] (상하) 원래 [127](상)의 첫번째 박자에서 시작되어 [128](하)의 세번째 박자에 이르는 2마디 사이에 이음줄이 표기되어 있었으나, 이와 같은 곳들과 일치시켜 이것을 한 마디마다 구분된

이음줄 2줄로 했다.

[143] ~ [145] (하) 이와 같은 곳은 [40] 이하와 같게 각 마디에 ⟨ 와 >가 보충되어야 할 것 같다. 여기서는 음의 셈여림 기호가 **pp**([140])라고 되어 있으므로, 신중을 기해 원전대로 하였다.

[150] ~ [155] (상) 이 사이의 모든 4분쉼표는 이곳과 동일한 곳인 [47] ~ [52]와 일치시켜 보충한다.

[156] (하) PH: 두번째 박자의 여섯잇단음 중 왼손으로 치는 3음에 8╌╌가 표시되어 있지 않다.

[158] (상) EMB: 다섯번째 박자 첫음 d¹에 ♮이 빠졌다. 그리고 이 박자에서 소프라노 2개의 8분음표가 모두 4분음표로 되어 있다.

❖ 거울 (전5곡) (1904~1905)

1) 나 방
2) 슬픈 새
3) 바다의 조각배
4) 어릿광대의 아침 노래
5) 종의 골짜기

초 판 : Miroirs, DEM＝ES 1906
1) Noctuelles 2) Oiseaux tristes
3) Une barque sur l'océan
4) Alborada del gracioso*1
5) La vallée des cloches

자필 악보 : 1) Robert Owen Lehman Collection 소장*2
(Pierpont Morgan Library, New York에 위탁)
2) Mary Flagler Cary Music Collection 소장
(Pierpont Morgan Library, New York에 위탁)
3) 익명의 개인이 소유*3
4), 5) Bibliothèque Nationale, Paris 음악부문 소장

참 고 : SO, SI, CAS, PH, BR 그 외; 3)의 오케스트라용 편곡 ES와 EU, 4)의 오케스트라용 편곡 ES와 EU.

*1 스페인어.

*2 1905년 10월 날짜임. 특히 후반 부분에 악상 기호, 이음줄, 악센트, 그 외의 기입 표시가 없는 곳이 많음.

*3 1905년 5월 날짜임(A. 올렌스타인). 일설에 의하면 이것은 현재 소재 불명. 3)에 관해 현재 참조 가능한 자료로는 Bibliothèque Nationale, Paris 소장으로 라벨 자신이 기록한 흔적이 있는 필사 악보가 있다. 이 복사본은 초판 작성시 사용되었을 가능성이 높다.

◆ 제1곡 〈나방〉

[7], [91] (하) A: 세번째 박자의 des⁴-f⁴가 16분음표로, 이어지는 쉼표를 16분으로 오기하였다. SO², BR을 제외한 모든 판이 이것을 정정하지 않고 그대로 두었다.

[9], [93] (상) laissez vibrer의 호선은 A에 의한 것이다. PH를 제외한 모든 판에서 이것이 빠졌다.

[14] A에서는 실수로 여기에 $\frac{5}{8}$ 박자 기호를 쓰고, [16]에서 $\frac{6}{8}\frac{3}{4}$으로 썼다. 여러 판에서는 그대로 되어 있으나, 본서에서는 $\frac{5}{8}$를 $\frac{6}{8}\frac{3}{4}$으로 고쳐, [16]의 표시를 삭제하였다(이와 동일한 곳 [98], [100]을 참조할 것).

[14], [15] (상) 여섯번째 박자의 8분음표에 찍힌 스타카티시모는, 여러 판에서 전곡에 걸쳐 유사한 곳에서 여러 가지 형태로 빠져 있다. 이하 상세히 언급하지는 않겠으나, 본서에서는 교정자가 보완한 것들 중 다른 판에서 볼 수 없는 것에 한하여 [ ]를 붙였다. 또한 BR에는 이것들이 스타카토로 되어 있다.

[18] (상) SO, PH: 첫번째 박자 다음의 g에 ♮이 빠지고, 두번째 박자 앞부터 세번째 박자 앞의 다섯 잇단음의 끝부분인 d¹까지 이음줄이 빠졌다.

[19], [103] (상하) A에서는 두번째 박자의 꾸밈음들이 잘못하여 32분음표로 되어 있다. SO², PH를 제외한 모든 판이 이것을 정정하지 않았다.
SI, CAS: 첫번째 박자 앞의 스타카티시모(상), 세번째 박자 앞의 스타카토(하)가 빠졌다.

[23], [26] (하) SI, CAS에 따라 이곳과 같은 [107], [110]과 일치시켜, 원래 세번째 박자 앞의 g¹ 위에 표기되어 있던 des²를 삭제하였다.

[24] (하) SO, PH: 두번째 박자에서 시작되어야 할 이음줄이 첫번째 박자에서부터 잘못 시작되었다.

[25] (상하) SO: 첫번째 박자의 여섯잇단음의 이음줄이 빠졌다.

[29] (상) SO, PH: 첫번째부터 세번째 박자의 이음줄이 빠졌다.

[33] (상) A: poco rubato의 지시 및 여기서부터 [35]까지의 모든 >가 빠졌다([117] 이하도 동일하다).

[36] (상하) CAS: 트레몰로가 빠졌다. A에서는 여기에 이어지는 fff를 끝으로 이하 종결부까지 셈여림 기호가 빠졌다.

[37] (하) 첫번째 박자 뒤에서부터 시작되는 4분음표 3개는 원래 상단에 있었다. PH에 따라 이들을 하단으로 옮기고 상단에는 모두 쉼표가 붙었다.

[38] (상) A에서는 두번째 박자의 2분음표에 점이 빠지고 이 음표의 우측 하단에 2분쉼표가 적혀 있다. 여러 판이 이를 따르고 있으나, 본서에서는 이것을 점2분쉼표로 하여 첫번째 박자에 두었다. 이 쉼표에 이은 네번째 박자의 2분음표(베이스 F)에 붙은 laissez vibrer의 호선은 A에 의거했다([41] 첫번째 박자의 F의 것에 대해서도 동일).

[39] (상) BR을 제외한 모든 판에 첫번째 박자 화음의 a에 ♮이 빠졌다. A에는 있다.
SO: 세번째 박자 화음의 e에 ♮이 빠졌다.

[39]~[40] (상) SO: 마디에 걸치는 이음줄이 빠졌다.

[41]~[42] (하) ES, SI, CAS: 마디에 걸치는 f에 붙임줄이 빠졌다.

[42] (상) 첫번째 박자 화음의 laissez vibrer의 이음줄은 A에 의거한 것이다.

[44], [45], [50] (하) 이들 마디의 f, F에 붙은 laissez vibrer의 이음줄은 모두 A에 의거하였다(이 곡에 이런 종류의 기보가 많지만, 자세히 언급하지는 않았다).

[50] (상) A에서는 세번째 박자 겹음의 as에 ♮이 없으나, 이와 같은 곳 [60]으로 미루어 보면 이곳을 a-c¹라고는 생각할 수 없다. BR을 제외한 모든 판이 이것을 간과하고 있다. [60]의 교정 보고를 참조하기 바란다.

[51] (상) A는 두번째 박자의 2분음표에 점이 빠지고([53]에서도 동일), SO, PH는 g¹, g²에 ♮이 빠졌다.

[51] (하) A에서는 두번째 박자의 화음이 4분음표로 되어 있고, 세번째와 네번째 박자 내성에는 쉼표도 아무 것도 없다. 그리고 다섯번째 박자의 화음이 빠져 있다. 초판에 처음으로 작곡자에 의하여 다섯번째 박자에 as-ces¹-es¹가 보충되어 있지만, 세번째와 네번째 박자는 그대로 오늘날에 이르고 있다. 본서에서는 BR에 따라 두번째 박자의 화음을 점2분음표로 바꾸었다. 또한 마디 끝의 베이스 Des 위에, A에는 8분쉼표가 있으나, 모든 판에는 이것이 빠져 있다. 이상은, 초판에서 다섯번째 박자를 보완할 때 빠진 것으로 생각된다.

[53] (하) A에서는 두번째 박자 다음 f-ces¹ 위에 있는 d¹이 잘못하여 점2분음표로 되어 있다. SO는 이것을 두번째 박자 앞으로 옮겨 놓았으나(PH에서도 동일), [51]에서 볼 때 적절치 못한 처리인 것 같다. BR과 같이 ♩을 ♪로 고쳤고, 두번째 박자에 원래 표기되어 있던 Des-As의 2분음표를 온음표로 고쳤다.

[56] (하) ES: 첫번째 박자 다음 겹음의 ces¹에 불필요한 점이 있다.
A: 세번째 박자 다음에는 f-a의 8분음표. 초판에서는 삭제되었다.

[59] (상) SO, PH: 두번째 박자 다음의 점4분음표 b 에 *laissez vibrer*의 이음줄이 빠졌다.

[60] (상) A에는 세번째 박자의 겹음 des에 ♭이 빠져 있으나, 초판에는 작곡자가 이것을 보완해 놓았다. 이로 미루어 보면 [50]의 as도 라벨이 초판이 나올 때 ♭을 추가해야 한다는 것을 잊은 것 같다.

[61] ~ [63] A에는 *revenez au premier mouvement* 앞에 *peu à peu*라고 되어 있고, [63]의 Ier Mouvement의 표시가 빠졌다.

[64] (하) SO: 세번째 박자 다음부터 [65] 첫번째 박자 다음까지의 이음줄 머리가 빠졌다. 양 마디 사이에 행이 바뀌면서 잘못된 것이다.

[73] (상) A에서 하단처럼 첫번째 박자 다음 c²에서 시작되어야 할 이음줄을 실수로 두번째 박자에서부터 시작했기 때문에, 초판에서 이것을 수정하려다가 반복음 윗 부분의 이음줄과 혼동이 발생한 것 같다. ES, SI, CAS 등 여러 판에서도 모두 이 부분의 이음줄이 불완전하다.

[84] (하) SO: 세번째 박자의 화음부터 [85] 첫번째 박자에 걸치는 이음줄이 빠졌다.

[88] (상) A: 세번째 박자 내성 두번째 16분음표 e¹에 ♮이 빠졌다. SI, CAS, BR 이외 여러 판에 이것이 보완되어 있지 않다.

[95] (하) SO: 첫번째 박자 제2음 c²가 es²로 오기됨.

[103] (상) 모든 판: 첫번째 박자 앞의 8분음표가 16분음표로 오기.

[114] (상) SO: 첫번째 박자 소프라노 2개의 상향 8분음표 꼬리가 빠졌다.

[117] (상하) PH, BR 이외의 모든 자료에 $\frac{6}{8}$ 표시가 빠졌다.

[120] (상) 모든 자료에서 트레몰로의 첫째 화음(오른손)에서 as³가 b³로 오기됨.

　[117]에서 여기까지가 [33] ~ [36]을 그대로 완전5도 아래로 조옮김한 것임을 고려해 볼 때, 이곳에 b³가 나올 가능성은 없다고 해도 좋다.

[120] (하) ES, SI, CAS: 트레몰로 다음에 하행음들을 가로막는 첫번째 32분음표들 중 처음 두 음이 16분음표로 오기.

[127] (상) CAS를 제외한 모든 판: 두번째 박자 두번째 16분음표에서 화음 as²에 실수로 ♮이 붙음. 또, SO에서는 이 음부터 *8*가 시작되고 있어, 상단의 *8*을 종종 하단까지 유효하게 한 라벨식 기보법을 감안하더라도 부정확하다.

◆제2곡 〈슬픈 새〉

[1] (상) 첫부분의 🎵 혹은 [3]의 🎵 같은 음형의 8분음표에 찍혀야 할 스타카토가 다른 많은 판에는 곡의 여러 군데에서 빠져 있으나 자세한 언급은 생략하기로 한다.

[4] (상) SO: 소프라노 세번째 박자 다음에 있어야 할 4분음표가 잘못되어 하단($\frac{12}{8}$)의 여덟번째 박자 바로 위에 표기되어 있음([5]의 두번째 박자 다음의 것도 이와 같이 아래 다섯번째 박자 위에 와 있다). 또한 SO¹에서는 소프라노 네번째 박자 다음에 8분쉼표가 빠졌다.

[4] ~ [5] (하) ES, SI, CAS, BR: 여기 나타나는 베이스 음형 🎵의 2분음표에 모두 점이 빠졌다. 그리고 CAS에서는 B의 붙임줄(약식 기호이기는 하지만)을 이음줄로 오인하여, 하향 꼬리로 아래쪽으로 옮겨져 있다. 이들을 정확히 하자면, 🎵 처럼 B에 상향 4분음표 기둥이 필요한데, 작곡자는 내성의 움직임과 이것의 접촉을 피하기 위하여 생략한 것이므로, 붙임줄임에 틀림없다.

[8] (상) A: $\frac{12}{8}$의 내성 아홉번째 박자 겹음의 es¹에 ♭이 빠졌다([9]의 맨 마지막에서도 동일). 다른 많은 판에도 보충되어 있지 않다.

　SO: 소프라노(**C**로 세어서) 네번째 박자 다음에 나오는 음형의 첫째 음 ges²를 b²로 오기.

[8] (하) ES: 두번째 박자에 >가 빠졌다.

[10] ~ [11] (상하) PH: [10]에서 [7]과 같이 상단의 보표 위쪽을 **C**, 아래쪽을 $\frac{12}{8}$로 하고, 하단 [11]을 $\frac{12}{8}$라고 바꾸어 쓰고 있다.

[13] (상) SO², PH에 의거하여 마디 전반에 2분쉼표를 보충하였다. SO¹에서는 세번째 박자 음형의 리듬 🎵을 🎵로 오기([14] 첫번째 박자에서도 동일). CAS는 이곳을 🎵 라고 해석하였는데 이것은 매우 큰 오해이다.

[14] (상) ES, SI: 첫번째 박자 음형의 두번째 16분쉼표가 빠졌다. 원래 두번째 박자 이후가 🎵 라고 표기되어 있었으나, PH처럼 박자 기호를 $\frac{12}{8}$로 바꿔 쓴 것이 아니라면, 이 기보는 부정확하다고 할 수 있다. 본서에서는 SO², BR에 따라 각각 부점을 삭제하였다.

[20] (하) 첫번째 박자 내성의 8분음표 기보가 A에서는 부정확하여 초판 이후 여러 판에서 이곳들이 혼란을 초래하고 있다. 즉, 내성음 fis¹이 첫번째 박자 셋잇단음의 세번째 음에 위치함을 나타내고 있다.

[23] (상) SI, CAS에 따라 원래 두번째 박자 내성(겹음 e¹-as¹)의 4분음표에 붙어 있던 부점을 삭제하였다.

25 첫번째 단의 위 A: 제3군(아홉잇단음을 하나로 쳐서)의 두번째 음 es², 제4군의 es³에 각각 ♭이 빠졌다. 초판 이후 다수의 판에 빠졌다.

두번째 단 아래의 PH는 단 끝의 ♫♫♫♫♫♫ 를 ♫♫♫♫♫♫ 으로 읽고 있으나(세번째 단 처음에서도 동일), 이에 찬성할 수는 없다.

26 ~ 28 (하) 각 마디 두번째 박자의 2분음표에 SI, CAS를 따라 점을 보완하였다.

31 (하) CAS: 베이스 첫번째 박자에 실수로 4분쉼표가 들어갔다.

◘ 제3곡 〈바다의 조각배〉

이 곡만 오리지날 메트로놈 표시가 없으므로, 이것을 작곡자에 의한 오케스트라용 편곡 스코어에서 보충하였다. 단지 오케스트라 판에서는 첫머리를 $\frac{2}{4}$ 로 기보하였으므로 ♩=58 environ.

4 SO, PH: ⟩ 가 빠졌다.

5 , 7 (상) C에서 4분쉼표를 잘못하여 겹음 cis²-gis²의 바로 밑에 두었기 때문에, 초판 이후 여러 판에서 이것을 답습하였다.

9 (상) SO, PH: 첫번째 박자의 꾸밈음에 >가 빠졌다.

11 , 12 (상) 원래 세번째 박자 앞에 해당하는 꾸밈음들 중 첫부분에 있는 3음에만 이음줄이 걸려 있었으나, 이것을 21 , 22 의 기보와 일치시켰다. 그리고 라벨의 표기법은 꾸밈음들이 다음에 나오는 본 음표와 묶여져 있거나(이곳의 하단처럼), 이음줄이 꾸밈음들의 제일 마지막 음에서 끊어져 있는 등 여러 가지지만, 본서에서는 적어도 같은 곡에서 이들을 통일시켰다.

11 , 12 (하) C에서는 두번째 박자의 여섯잇단음에 32분음표 꼬리가 붙어 있는데, 본서에서는 이것을 21 , 22 와 일치시켜 16분음표로 했다.

13 (상) SI, CAS 이외의 모든 판: 마디 마지막 겹음의 c¹에 붙어야 할 ♮이 h에 잘못 붙어 있다.

23 (하) 마디 끝의 32분음표 G는 불필요한 것인지도 모른다. 오리지날에 따르면 24 머리 부분과 함께 G가 연타되나 이런 아르페지오 배치 방법은 이 부분과는 잘 어울리지 않는다.

30 (하) SO, PH: 첫번째 박자에서 두번째 박자로 가는 화음에 이음줄이 빠졌다.

31 (하) 모든 자료에 두번째 박자의 베이스에 8---가 빠져 있는데, 어째서 이 곳만 1옥타브 위여야 하는지 알 수 없다.

35 , 36 (하) 35 및 36 첫번째 박자의 아르페지오 바로 앞에 있는 쉼표는 모두 16분쉼표여야 한

다. 여러 판에 이들이 부정확하게 되어 있다.

37 (상) 라벨은 첫번째와 두번째 박자 하단에서 시작되는 아르페지오의 3음을 상단에 놓았으나, 상단에 8---가 걸려 있던 사실을 잊었는지 이 음들이 실제보다 1옥타브 높게 기보되어 있다. 다른 판에는 이것이 전혀 다루어지지 않았다. 본서에는 loco 지시를 보완하였다.

42 (상) C에서는 잘못하여 트레몰로가 3박자에만 쓰여 있다. PH, BR 이외의 판에는 이것이 정정되어 있지 않다(115 에서도 SO², PH, BR 이외에서 동일). 또한 CAS 이외의 판에는 ⟨ 가 보충되어 있지 않다.

49 (상) 두번째 박자 앞에 있는 꾸밈음들은 잘못해서 보통 크기 음표로 표기되어 있었으나, PH를 참고로 이들을 고쳐 썼다.

64 (상) C에는 첫번째 박자에 63 에서 시작되는 붙임줄로 묶인 4분음표 gis¹이 있는데, 초판에서 이것을 h¹으로 오기하여, SO에서도 그대로 되어 있다. ES에서는 이 h¹을 붙임줄과 함께 지워 버렸으나, gis¹을 보완하지 않았다.

69 ES, SI, CAS: 이 마디 세번째 박자 끝에 잘못하여 세로줄이 그어져 있다.

70 CAS에 따라 pp ⟨ 를 보완하였다.

72 CAS에 따라 p를 보완하였다.

73 (하) CAS, PH, BR 이외 여러 판 : 세번째 박자의 다섯번째 음 f¹이 as¹으로 오기되었다.

79 (상) SO²에서만 두번째 박자 앞이 ♫♫♫♫ 로 되었다.

83 (상) 거의 모든 판이 두번째 박자 네번째 음을 a³로 표기하고 있는데, 이는 분명히 fis³의 오기이다. PH는 이것을 84 첫번째 박자 네번째 음으로 착각하여 주를 달았다.

88 (상) BR 외에서는 세번째 박자의 겹음 fis³-a³가 d³-fis³로 오기되었다.

90 ES: 두번째 박자 뒤에 세로줄이 잘못하여 그어졌다.

96 (하) C: 세번째 박자 뒤에 있어야 할 >가 앞의 8분음표에 붙어 있다.

98 (상) PH, BR 이외의 모든 판 : 네번째 박자 여섯번째 음 a³가 g³로 오기되었다.

99 (상) SI, CAS 이외의 모든 판 : 첫번째 박자 일곱번째 음의 g⁴에 ♮이 빠졌다.

99 (하) C에서는 첫번째 박자에 온음표 a¹이 보이지만, BR 이외의 모든 판을 보면 전부 이것이 빠져 있다.

100 (하) SO: 마디 후반 ⟩ 가 빠졌다.

[100], [101] (상) C에서 네번째 박자가 로 오기되었기 때문에 오늘날까지도 BR 이외의 모든 판이 불완전하다. 여분의 a³가 제거된 SO²에도 c⁴에 ♮이 빠졌고, 이곳에 ♮이 보완되어 있는 SI, CAS에는 불필요한 a³가 그대로 보존되어 있다. 그러니 다른 여러 판은 미루어 짐작할 만하다.

[100], [101] (하) C에서는 베이스의 이음줄이 빠졌고, ES, SI에서는 2분음표에 점이 빠졌다.

[102] (상) 이 마디의 네번째 박자에는 모든 판에 커다란 오류가 있으며, 그것이 오늘날까지 그대로 남아 있는 실정이다. C에서는 실수로 이것을 [100], [101]의 네번째 박자처럼 화성이 변화한다고 잘못 생각해, 바로 앞에 있는 2마디와 동일한 음형으로 오기하였다(정확히 말하자면, 끝에서 두번째 32분음표에 화음이 a³-cis⁴-fis⁴로 표기되어 있으므로 대단히 큰 오기임). 나중에 나온 여러 판은 a³-cis⁴-fis⁴가 cis⁴(c⁴)-e⁴-a⁴로 고쳐졌거나, 여분의 a³ 1개가 빠져 있지만, 이곳의 화성 전체가 오기되었다고는 생각하지 못했다.

[102] ~ [110] 화성의 골자는 ──── 즉, 내림마 음상의 딸림 7음에 가 음을 더한 것으로(경과적으로 바 음을 동반함), 이것을 각각 다른 위치에서 분산시킨 것에 지나지 않는다. 따라서, [102]의 네번째 박자에 다른 화음이 들어갈 가능성은 없는 셈이다. 이것은 라벨 자신이 편곡한 오케스트라 판에서도 확인할 수 있다(EU의 스코어에서 연습 번호 '20' 바로 앞에 있는 마디가 [102]에 해당함).

교정자는 곡집 중 이 곡에만 메트로놈 지시가 빠진 것에 대해, 만일 자필 악보에 의했다면 상상조차 할 수 없는 위와 같은 오기 등이 〈바다의 조각배〉 초판 작성시에 C(필사 악보)가 사용되었기 때문은 아닐까 추측하고 있다.

[102] (하) 많은 판에서 두번째 박자 다음의 4분음표에 점이 빠졌다.

[103] C: 마디 첫머리에 *fff*, ──< 가 없다.

[107] (상) SO: 세번째 박자의 일곱번째 음 a가 h로 오기되었다.

[109] SO, PH: *mf* 지시가 빠졌다.

[109] (상) ES: 첫번째 박자 2분음표에 점이 빠졌다.

[110] (상) 세번째 박자 다음의 >가 빠져 있는 판이 많으나, C에는 있다.

[118] 마디 마지막부터 네번째 g는 다른 판에서는 보이지 않으나, C에는 있다.

[121] ~ [123] (하) 여러 판에는 이 곳에 이음줄이 없다.

[125], [128] (상) 원래 꾸밈음들의 기보가 조금 부정확했기 때문에 약간의 가필과 보충을 했다.

[135] 자료들 대부분에 박자 기호 $\frac{6}{8}$ $\frac{2}{4}$ 가 빠졌다.

◆제4곡 〈어릿광대의 아침 노래〉

속도 지시·메트로놈 표시: A에는 없다.

[2], [4] (상) A: 다섯번째 박자의 화음 e¹에 ♮이 빠졌다. BR 이외의 모든 판에서도 마찬가지.

[12] (상) A에는 소프라노 첫번째와 세번째 박자에 스타카티시모가 분명히 찍혀 있다([14]와 같은 마디에서는 첫번째 박자에만). 이하 전곡에 걸쳐 같은 이 음형이 동일하게 나타난다. 초판 이후 거의 모든 판에 이들을 스타카토로 표기하였다(ES 외의 오래된 판에는 여기저기 이 스타카토가 빠져 있으나, 상세히 언급하지는 않았다. 원판의 마모에 의한 곳도 많다고 생각된다).

[22] SO, PH: *p* 지시가 빠졌다.

[28] ~ [29] SO, PH: ──> 가 빠졌다.

[30] (하) SO, PH: 마디 끝의 ges¹가 es¹로 오기.

[34] (하) SI, CAS, SO², BR 이외의 판: 아홉번째 박자의 겹음 es¹에 ♮이 빠졌다.

[35] (상) CAS: 네번째 박자 셋잇단음의 꼬리가 8분으로 오기.

[36] (상) ES: 일곱번째 박자 다음 화음의 f¹이 빠졌다(원판의 마모에 의한 것일까?)

[37], [38] (하) A: [37] 여덟번째 박자 및 [38] 아홉번째 박자 화음 es¹, ges¹에 각각 ♮이 빠졌다.

[58] SO, PH: *pp* 지시가 빠졌다.

[58] (하) ES¹: 세번째 박자 앞에 있어야 할 높은음자리표가 잘못하여 마디 끝에 있다.

[71] ~ [72] SO, PH: *mp expressif en récit.* 지시가 빠졌다.

[74] (상) SO: 꾸밈음들의 첫번째 음에 >가 빠졌다.

[93] ~ [94] SO, PH: ──> 가 빠졌다.

[96] (상) PH, BR를 제외한 모든 자료에 마디 끝의 높은음자리표가 빠졌다.

[105] (상) 원래 여기서 시작되는 당김음의 반복음 기보가 각양각색이며, 스타카토가 있는 곳도 있고 없는 곳도 있으며, 이음줄의 길이가 불분명한 곳도 많았으나, 본서에서는 이들을 로 통일하였다.

[126] (상) 이하 4마디 사이 및 [157] 이후에서 여기와 같은 곳에 나오는 32분음표의 돈꾸밈음 음형인 가, 라벨 자신의 오케스트라용 편곡에서는 모두 로 바뀌었다(ES 출간 스코어 연습 번호 '16' 이후 및 '21' 이후 참조).

127 (상) ES, BR 그 외: 다섯번째 박자의 점4분음표에 >가 빠졌다.

141 (하) ES, SI CAS, BR: 네번째 박자에 >가 빠져 있다.

141~144, 151~154 (하) 이 사이의 스타카토는 모두 교정자에 의해 보완되었다.

157 (상하) 126과 같게 스타카토 점이 보완됨.

157~160 (상하) 여러 판, 여러 군데에서 이곳의 다섯번째 박자 화음에 부점이 빠졌다.

158 (하) 원래 여덟번째 박자 화음에 있던 >가 삭제되었다.

164 (상) SO, PH: 두번째 박자의 a¹을 cis²로 오기.

166 (하) SO, PH: 아홉번째 박자의 b에 붙어 있던 오리지날 운지 숫자 2가 빠졌다.

167, 171 (하) SO, PH: 세번째 박자의 겹음에 >가 빠졌다. 171에서는 거의 모든 판에서 이것이 빠졌다.

172 (상) A: 두번째 박자 셋잇단음에서, 두번째 16분음표(겹음)의 ais¹에 ♯가 빠졌다. PH, BR 이외의 여러 판에도 이것이 빠졌다.

172, 173 (하) 스타카토가 보완되었다.

175 (상) PH: 운지 숫자 4/2, 3/1이 빠졌다. SO에도 전자가 빠졌다.

175, 177, 179 (하) 두번째와 세번째 박자의 스타카토는 A에 의거한 것이다.

177 거의 모든 판: ⟩ 가 빠졌다.

179 (하) 많은 판의 첫번째 박자에 >가 빠졌다.

180 (하) ES: 화음에 스타카토가 있다.

194 (하) SO, PH: 첫번째 박자의 겹음 e가 빠지고, 불필요한 >가 붙음.

201 (상) SO¹, PH: 마디 맨 끝에 높은음자리표가 빠졌다.

203 (하) ES, SI, CAS, BR: 첫번째 박자의 8분음표가 16분으로 오기되었다. 마디 후반의 두잇단음은 원래 ♪♪였으나 205의 기보와 같게 ♪♪로 바꾸어 썼다.

204 (하) SO: 첫번째 박자 A¹에 *laissez vibrer* 이음줄이 빠졌다.

206 (하) A에서는 여섯번째 박자의 화음 d¹에 ♮이 빠졌다. PH 이외의 판에는 이것이 보완되지 않았다.

210 (상) CAS: 마디 후반의 두잇단음에 > 2개가 빠졌다. SO²에도 마디 끝에서 빠졌다.

212 (상) A를 비롯하여 모든 자료의 첫번째 박자의 화음에 부점이 빠졌다.
SO, PH: 꾸밈음들에 이음줄이 빠졌다.

221 (하) SO: 세번째 박자 8분음표에 잘못하여 두번째 박자의 16분음표 꼬리가 연장되어 있다.

223 (하) A를 비롯하여 모든 자료에서 다섯번째 박자의 화음 c¹에 ♮이 빠졌다.

224 (상) SO, PH: 세번째 박자의 3개 음에 >가 빠졌다.

228 (상) SO: 꾸밈음들에 이음줄이 빠졌다.
BR: 마디 끝에 높은음자리표가 빠졌다.

◆제5곡 〈종의 골짜기〉

메트로놈 표시: A에는 없다.

6 (하) ES: 베이스 G¹에 >가 빠졌다.

7 (중) 첫번째 박자 eis¹의 *laissez vibrer* 이음줄은 A에 의한 것이다. 여러 판에는 이것이 빠졌다.

10 (중) ES, SI, CAS: 세번째 박자 다음의 eis¹이 잘못하여 상단 다섯번째 음 밑에 쓰여 있다.

11 (하) *laissez vibrer* 이음줄은 A에 의한 것이다. 여러 판에 이것이 빠졌다.

15 (중) 초판 이후 다른 많은 판에는 두번째 박자 화음 앞에 낮은음자리표가 있으나, A에는 없어 이것을 삭제하였다.
ES¹, SO¹: 세번째 박자의 화음 eis¹에 잘못하여 ✱이 붙었다.

16, 17 ⌒는 모두 A에 의한 것이다. 단, 하단의 것에 한해 모두 두번째 박자의 2분음표 위에 있다.

17 (상) ES, SO, BR: 세번째 박자 다음부터 네번째 박자 앞까지 b-b¹의 붙임줄이 빠졌다.

17 (하) ES¹, SO: 첫번째 박자에 4분쉼표가 없고, 잘못하여 C¹의 2분음표가 여기 놓였다. PH는 이것을 더욱 잘못 해석하여 점2분음표로 고쳐 썼다.

20 (하) 온음표 아르페지오 기호와 첫번째 박자 다음의 >는 A에 의한 것이다.

21 (중) SO: 두번째 박자 des에 붙임줄이 빠졌다.

22 (상하) 많은 판에서 네번째 박자 앞의 8분음표에 *laissez vibrer* 이음줄이 빠졌다.

23 (상하) A에는 네번째 박자 앞에서, 붙임줄로 세번째 박자 다음과 연결되어야 할 8분음표를 빠뜨렸기 때문에, 이곳의 음가나 후속되는 쉼표 기보가 여러 판에서 혼동되고 있다.

24 원래 첫번째 박자에 *p calme* 라고 표기되어 있었으나, CAS에 따라 23 끝에서부터 *p expressif et calme*로 읽어 이곳의 *p*가 삭제되었다.

27 (중) 각 박자의 마지막 화음에 A의 경우에는 *laissez vibrer* 이음줄이 빠졌다. 이에 대해 억지로 주를 붙인 판도 있으나, 교정자는 단순히 기록이 빠진 것으로 판단하여 이들을 보완하였다.

28 (중) 많은 판에서 세번째 박자의 4분음표 위치가

부정확하다.

31 (상) 거의 모든 판에서 마디의 마지막 8분음표로부터 시작되는 이음줄의 시작 부분이 빠졌다.

31 (하) A를 비롯한 여러 판에서 온음표에 점이 빠졌다.

32 (상) A를 비롯한 거의 모든 판에서 첫번째 박자의 2분음표에 점이 빠졌다.

32, 33 (상중) 이 2마디 사이의 상단에 있는 오리지널 기보는 매우 읽기가 어려워, 기보 자체도 정확성을 기하기 어렵다. 본서에서는 상단 옥타브의 선율음만을 표기하고, 나머지 음표는 모두 중단으로 옮겼다.

33 (하) PH는 제외하고, A를 비롯한 모든 판에서 베이스 Des-As의 붙임줄이 빠졌다.

34 (상) SI, CAS, BR 이외의 판: 첫번째 박자 c¹이 앞 마디부터 시작된 이음줄과 연결되어 있지 않다.

34, 35 (상) A를 비롯한 거의 모든 판에서 온음표에 점이 빠졌다.

37 (상) A를 비롯 많은 판에서 첫번째 박자 b의 2분음표에 점이 빠졌다. 그리고 최근의 ES에는 이음표 자체가 완전히 빠져 있는데, 아마도 판의 마모에 의한 것으로 생각된다.

37 (중) PH: 이음줄이 빠졌다.

42 *lointain*라는 지시는 A에서 볼 수 있는데, 출판 악보에서 이것이 ***ppp***로 바뀌었다. 본서에서는 괄호 안에 이 지시를 남겼다.

43, 44 (상) ES, SO 그 외: 두번째 박자 내성을 위한 4분쉼표가 8분쉼표로 오기되었다.

45 (상) SO: 이음줄이 빠졌다.

연주 노트

'나의 음악은 특별히 해석할 것까지는 없다. 그냥 쓰여진 대로 연주해 주면 된다' —— 코르토가 전하는 라벨의 말이다. 영국의 작곡가 겸 평론가인 N. 테마스가 그의 저서에서*¹, 이 말에 대한 부연 설명을 잘하였으므로 아래에 인용하기로 한다. 약간 장문이므로, 다음에 그 개요를 발췌해 본다:

'라벨 음악의 낭만적 성격이 템포 루바토 피아니스트의 희생물이 되어 그 작품을 망치는 요인이 되었다. *rallentando*나 *accelerando*가 마구 더해져, *plus lent*(= *più lento*)라는 지시가 *molto rallentando*로 오해된다. 그리고 이런 해석자(연주자)를 마디와 마디 사이에서 비틀거리지 않도록 설득한다는 것은 거의 불가능하다. 그는 첫번째 박자 조금 뒤에서 음표를 연주하고, 각각의 마디에 조금씩 길이를 붙여 나간다. 이것은 음악의 진행을 방해할 뿐만 아니라, 하고 스스로 장애물(세로줄)을 제거하기는커녕 번번히 허들 앞에서 달리기를 멈추는 운동 선수와 똑같다는 것을 전혀 눈치채지 못하는 것이다. 음악 작품이 단순할수록 해석자가 개입할 수 있는 기회는 점점 더 많아지게 되고, 그 결과 연주는 작곡자의 의도와는 정반대로 되는 경우가 많다'.

라벨이 자신의 곡 연주에 대해 까다롭고 요구가 많은 작곡가였음은 틀림없었던 것 같다. 〈죽은 왕녀를 위한 파바느〉를 너무 느리게 쳤던 피아니스트는 '왕녀를 위해 죽은 파바느'라는 야유를 받았으며, 거장 토스카니니로부터 그의 〈볼레로〉의 템포가 '너무 빠르다'는 솔직한 평가를 기분 나빠하기도 했다. P. 비트겐슈타인은 〈왼손을 위한 협주곡〉의 작곡을 의뢰했으나, 완성된 작품을 그의 솜씨로는 도저히 칠 수 없었으므로, 자기가 연주할 수 있도록 마음대로 원곡에 손을 대고는 뻔뻔스럽게도 '연주자는 작곡가의 노예가 되어서는 안 된다'고 변명했다. 그에 대한 라벨의 반응은 다음과 같이 매정했다: '연주자는 작곡가의 노예다'.

라벨은 많은 피아니스트(R. 카자드쉬, V. 페를뮈테르, J. 페브리에 3명이 특히 유명)들에게 자작에 대한 연주법을 전수했는데, 그 때마다 '어떻게 연주하면 좋을까?'만이 아니라 자주 '어떻게 쳐서는 안 되는가'를 분명히 언급했다.

그의 작품 모든 곳에 쓰여진 *sans ralentir*(= *senza rallentare* '느리지 않게')라는 지시를 상기해 주기 바란다. 심지어 〈교수대〉에는 *sans expression* '표정없이, 무표정하게'라는 지시가 되어 있다. '연주가들의 폐단 중의 하나는 작곡자가 의도하는 시점보다 빨리 *crescendo*를 시작해 버리는 것이다……'와 같은 지적은 라벨의 작품에만 한정된 것이 아니고, 거의 모든 작품의 연주에 적용되는 말이다.

악보에서 작곡가의 진의를 정확히 읽어내고, 모든 자의적 해석을 피해 작곡가의 충실한 종이 되어 그에 따른다는 것은, 결코 소극적이며 주체성이 결여된 궁색한 연주를 하는 것이 아니다. 라벨은 일부러 자기에게 어려운 문제를 부과하고, 그것을 극복하는 데서 기쁨과 즐거움을 발견하였다.

예를 들어, 발라키레프의 〈이슬라메이〉를 뛰어 넘는 난해한 곡을 쓰는 일(〈스카르보〉), 무소르그스키의 〈전람회의 그림〉의 원곡 가운데 하나를 한 음도 바꾸지 않고 오케스트라용으로 편곡해 낸 것 등이 그러하다. 〈볼레로〉도, 〈왼손을 위한 협주곡〉도 표현 수단에 어떤 제한이 가해지고, 이것이 계기가 되어 탄생된 걸작이다. 과제가 힘들수록 더욱 더 자극을 받아 도전하여 솜씨를 발휘하는 것이 라벨이 가지고 있던 프로 기질이다. 우리 연주자들이 라벨의 작품에 손을 댐에 있어, 어떤 태도로 임하면 좋은가를 그가 몸소 보여 주고 있는 것이다. 제약이 없는 곳에는 자유도 없다. 입장을 바꾸어 보면, 이번에는 피아니스트들이 라벨이 내린 '해석하지 말고 악보대로'라는 제약 범위 내에서 어떻게 자유자재로 솜씨를 부릴 수 있을까 하는 과제에 도전해 볼 차례이다.

라벨의 피아노 곡은 대체로 아래 네 종류로 나눌 수 있다(물론 복수 항목에 해당되는 것도 있고, 어느 쪽으로 분류하기 어려운 작품도 있다).

1) 인상주의적 수법에 의해 묘사성이 뛰어난 작품
2) 고전 작품과 유사한 것
3) 각종 무곡 내지는 무곡 리듬에 기초를 둔 작품
4) 스페인 음악이나 기타 주법에 기원을 둔 작품

1)에는 〈물의 장난〉이나 〈나방〉, 〈바다의 조각배〉 등 많은 작품이 이에 속하며, 물이나 바람과 같은 유동체의 묘사에 능란한 인상파적 작풍의 상징적인 작품이 많다. 섬세한 터치와 교묘한 페달, 특히 음색이나 울림의 밸런스를 들을 수 있는 예민한 귀가 필요하다.
2)에는 〈소나티네〉, 〈하이든의 이름에 의한 미뉴에트〉, 〈쿠프랭의 무덤〉 등이 이에 속한다. 고전적 형식과 스타일——특히 프랑스 클라베시니스트와 모차

르트의 것을 모범으로 삼고 있다. 여기서는 그 중에서도 중용의 정신——절도 있는 정서 표현, 뛰어난 밸런스 감각, 깔끔한 터치가 요구된다. 얄팍한 질감, 투명하고 시원한 울림이 특색이다.

3)에는 〈고풍스런 미뉴에트〉, 〈죽은 왕녀를 위한 파바느〉, 〈고귀하고 감상적인 왈츠〉 등이 이에 속한다. 우수한 리듬감과 악센트에 대한 감각, 페달링에서는 어디서 발을 떼는가가 특히 중요하다.

4)에 속하는 〈그로테스크한 세레나데〉와 〈어릿광대의 아침 노래〉는 분명 기타 음악과 관계가 있다. 건조하고 날카로운 터치와 강한 악센트, 그리고 〈어릿광대의 아침 노래〉와 〈스카르보〉는 스페인 음악에서 유래한다. 스페인 남부 안달루시아 지방의 가무는 〈어릿광대〉에서, 스페인 동북부의 가무 '호타(jota)'는 〈스카르보〉의 주요 부분에서 활용되었다.

이상 대충 개괄적으로만 보아도 라벨이 낭만파적 뜨거운 심정을 토로했다기보다는 음의 울림 그 자체의 아름다움이나 작품 세부의 완성도의 완벽함에 흥미를 보이는 등, 객관성을 중시하는 타입의 예술가라는 사실을 알 수 있다. 물론 이것이 그의 음악에 감정 표현이 없다는 뜻은 아니다. 그는 드러내 놓고 강요하는 듯한 감정 표출을 소양 없음(몰취미)으로 보아 기피하였으며, 보다 절도 있고 세련된 방법을 좋아하였다. '위대한 음악이라는 것은 항상 마음에서 우러나는 것이다. 기술과 두뇌만으로 만들어진 음악에는, 그것이 쓰여진 오선지 이상의 가치는 없다'——이것은 미국의 평론가 D. 유엔과의 대화에서 라벨이 피력한 말이다.

작품의 뛰어난 완성도에 눈이 멀어, 거기 숨어 있는 내용을 간과하지 말았으면 좋겠다. 쇼팽이나 리스트, 혹은 생상스 등의 작품을 기반으로 하는 라벨의 피아노 기법은, 위에 기술한 프랑스 클라베시니스트나 D. 스카를라티, 모차르트, 나아가서는 기타 주법에서 유래한 것들에 자신의 창의적 연구가 더해져, 실로 광범위하고 다채롭다. 〈밤의 가스파르〉 같은 것은 피아노 기법의 백과사전이라 해도 과언이 아니다. 라벨이 명인적 기교에 찬 연주에 대해 비상한 관심을 가진 것은 앞서 서술한 프로 기질과도 관계가 있다고 생각되며, 새로운 소놀리티를 향해 그가 지향하는 표현 수단의 확대와 다양화를 초래하여 뛰어난 기교를 개발하였다.

라벨의 음질과 음색에 대한 주문에 부응하려면, 피아니스트는 항상 다양한 터치를 갖추고 있어야만 한다. 〈물의 요정〉의 신비한 노랫소리와 〈사 장조 협주곡〉 제1악장의 재현부 바로 앞에 있는 카덴차풍 패시지 사이에는 터치라는 점에서 커다란 차이가 있는데, 후자에서 라벨은 손을 높이 들어 올려 치는 하농의 무미건조한 터치까지 동원했다(이 프랑스의 오래된 유파의 음을 내는 것은 오늘날 레가토 칸타빌레나 에스프레시보의 적이라고 간주되어 평판이 매우 좋지 않다). 터치 문제는 연주 기교와 불가분의 관계이기는 하나, 라벨과 같은 작곡가를 다룸에 있어서는, 특히 각 악곡의 스타일이나 그 곡의 기본 색조를 표현하는 데 어떤 터치가 잘 어울리는가를 연습하기에 앞서 미리 심사숙고할 필요가 있다. 왜냐하면 터치가 연주 기교를 자연히 규정하게 되기 때문이다.

라벨은 자작된 모든 피아노 곡 중 약 $\frac{1}{3}$을 오케스트라용으로 편곡, 이들을 보다 풍부한 색채로 호화스럽게 만들었다. 그에게 피아노 곡은 어쩌면 관현악곡을 위한 스케치였는지도 모른다. 베토벤의 피아노 소나타가 그의 교향곡의 스케치였던 것처럼. 하여튼 이들 오케스트라로 편곡된 스코어를 연구하는 것은 피아니스트에게 음향의 성질이나 음색, 더 나아가서는 터치를 연구하는 데 커다란 실마리가 된다. 〈종의 골짜기〉나 〈교수대〉 같은 작품은 특히 오케스트라 스코어를 대하는 듯한 느낌으로 악보를 읽으면 작곡자가 바라고 있는 음향의 밸런스, 거리감, 입체감을 보다 확실히 파악할 수 있을 것이다.

라벨은 〈물의 장난〉이나 〈소나티네〉, 혹은 〈물의 요정〉 등에서 볼 수 있듯 선율음과 섬세한 반주 패시지를 동일 음역 내(특히 중음역 내지는 차고음에서)에 두는 것을 즐겼다. 그리고 이런 음의 배치야말로 맑고도 차가운 분위기의 최고 소놀리티를 탄생시킴과 동시에 때로는 피아니스트들에게 다루기 어려운 난제를 주는 것이다. 즉, 양손이 엉키듯 겹치기 때문에 서로 동작이 방해되는 것과, 동일한 키가 거의 동시에 서로 다른 용도로 쓰인 탓에 음이 빠져 버리거나 그냥 스치고만 지나가 바라던 소리가 나지 않는 것을 말하는 것으로[*2], 이것은 라벨의 반복음에 대한 편애와 함께 항상 피아니스트들의 골칫거리가 된다. 이러한 난제를 해결하는 데는 양손이 합리적으로 겹치는 방법을 찾는 것과, 좋은 손가락 놀림의 선택, 애프터 터치의 적극적 이용, 좋은 악기——그것도 최상으로 좋은 악기가 필요하다. 라벨은 〈물의 요정〉의 첫머리를 제외한 부분을 초판 간행 후에 본서에서와 같이 바꾸었다. 선율음과 접촉하는 반주 패시지 중 같은 음정의 음을 여러 곳에서 삭제해 어려움을 완화시켰던 것이다. 이것은 어쩌면 작곡가와 친했던 피아니스트들의 진언(혹은 불평이나 진정)이 작용했던 것인지도 모르겠다. 만약 그게 사실이라면 이 작곡가는 매우 이례적인 양보를 한 것이다.

라벨이 사용한 피아노 기교상에 있어 몇 개의 신기원, 검은 건반의 글리산도(〈물의 장난〉), 4도 겹음 글리산도(〈어릿광대의 아침노래〉) 혹은 겹음 2도의 연속 진행(〈스카르보〉) 등의 실제 창시자가 누구였는지는 잘 알 수 없다. 그러나 이들을 가치 있는 예술 작품의 일부분으로 활용한 최초의 작곡가가 라벨이라는 사실은 의심할 여지가 없다. 페달에 대해 말하자면 라벨이 사용했던 피아노는 에라르와 플레이엘이었으므로 오늘날 보급되어 있는 소스테누토 페달(중앙 페달)은 그의 머리 속에 들어 있지 않았다. 이것의 사용 여부나 그가 A_2로 대용했던 Gis_2 이하의 낮은 음을 92개 이상의 건반을 갖춘 대형 악기에서는 어떻게 연주할 것인가에 대한 자세한 문제는 해당 곡목에서 설명하기로 한다.

*1 Norman Demuth : French Piano Music—A Survey with Notes on its Performance, Museum Press, London, 1959.

*2 알베니스는 〈이베리아〉에서 건반 위의 동일 음역에서 양손을 겹치는 기법을 지나치게 추구하여, 이것을 특유의 피아니즘으로 발전시켰다. 보다 상세한 것은 춘추사판(태림출판사) 세계음악전집 〈알베니스Ⅰ·Ⅱ〉의 연주 노트를 참조하기 바람.

❖그로테스크한 세레나데 (c. 1893)

악곡으로서의 내용, 완성도는 물론이고 〈어릿광대의 아침노래(Alborada del gracioso)〉와 관계있다는 점에서 습작으로만 치부해 버릴 수 없는 작품이다.

sérénade란 이탈리아어 sera '저녁, 밤'이라는 단어에서 유래하였으며, 늦은 밤 연인의 창가에서 부르는 사랑의 노래를 가리키는 말로 운반이 편리한 소형 악기(대개는 기타)로 반주된다. 한편 〈어릿광대의 아침 노래〉의 alborada는 프랑스어 '오바드(aubade)'에 해당되며, 이탈리아어 alba '새벽, 동틀녘'에서 유래한, 사랑하는 연인들이 함께 밤을 지낸 다음 날의 아침에 부르는 노래라는 뜻이다. 즉 sérénade와 auba-de는 대칭을 이루는 단어이다(단, 〈어릿광대의 아침노래〉에서 라벨은 alborada를 조금 다른 뉘앙스로 사용했을 가능성이 있다. 이 곡에 관한 항목 참조).

이런 〈세레나데〉와 〈어릿광대〉 사이에는 우연하다고만 할 수 없는 유사점이 많은데, 그 중에서 몇 개의 예를 들어 보자 : 〈세레나데〉(S) 시작 부분에 있는 pizzicatissimo '매우 날카롭게 간파하듯이'라고 지시된 아르페지오의 화음과 〈어릿광대〉(A) 첫머리의

sec les arpèges très serrés '건조하게, 아르페지오는 매우 긴장되게=여운을 남기지 말고, 재빠르고 날카로운 아르페지오로'라는 지시들은 모두가 기타 연주를 모방한 것이다. S의 [15] 이하와 A의 시작 부분은 모두 $\frac{6}{8}$의 빠른 템포로 되어있고, 오른손 반주 패시지의 리듬과 함께. S [35]의 리듬과 A [10]의. 가장 놀라운 것은, S [36]~[37]의 와 A [6]~[7] 등등.

앞의 〈그로테스크한 세레나데〉와 같은 소재로 몇 십년 후에 쓴 〈어릿광대의 아침노래〉는 재탕이 아닌, 거장의 솜씨를 발휘한 일류 피아노곡으로 완성되었다. 그가 생전에 〈그로테스크한 세레나데〉를 발표하지 않았던 이유가 여기에 있었던 것 같다. 이 곡에는 청년 시절 라벨이 존경하던 샤브리에의 영향이 엿보이는 곳도 있는데, 초고 타이틀 Sérénade에 grotesque라는 말을 붙인 것도 실은 샤브리에의 영향때문이었는지도 모른다(Chabrier의 Bourrée fantasque는 1891년 작).

Très rude '매우 거칠게, 조악하게'로 시작되는 서주 부분은 온음계 화성으로 이루어진다. 그는 드뷔시만큼 온음계에 관심을 보이지 않았다. 이것은 라벨의 화성이 선법적이면서도, 조성을 버리지 않았던 것과 관계가 있을 수도 있다.

[11]~[12]에서 바이올린 개방현을 모방한 각 5도 위에 여러 판에서 g^2, e^1, h^1가 더해져 있는데, 이것은 초고의 스타카토를 음표 머리로 잘못 보고 생긴 필요 없는 음이므로(교정 보고 참고) 꼭 삭제하기 바란다.

[15] Presto 이후가 주요 부분이다. 매우 농축된 화성이 주어져 있으나, 이것은 다소 기이한 부분을 첨가함으로써 새로운 느낌을 주려는 의도가 엿보인다. 여기서부터 시작되는 오른손의 리듬은 $\frac{3}{4}$박자의 여운을 가지고 치는 느낌으로, 왼손과 헤미올라(hemiola) 관계인 것을 염두에 두고 연주해야 한다. 〈어릿광대의 아침노래〉에서는 이것이 로 악센트가 붙어 있고, $\frac{6}{8}$박자 리듬을 강조하나 여기서는 그렇지 않다.

[45] très sec '매우 건조하게', '매우 짧고 예민하게'

[57] poco più lento 이하에서는 왼손의 스타카토를 죽이고 페달을 분명히 사용하여, 오른손의 표정이 풍부한 멜로디를 더욱 돋보이게 한다. 이곳의 왼손 스타카토의 화음에는 적당한 운지법이 없어 연주하기가 힘들다. très sentimental '매우 감상적으로'.

[63] cédez = riten.

[69] [70]의 최저음은 C_1이 아니고 잘못하여 ♭이 빠

진 Ces₁이 아닐까 하는 의견도 있으나 편집자는 그렇게 생각하지 않는다.

그 이유는 '교정 보고'에서 상세히 설명했다(137~138에 대해서도 동일).

75의 Tempo primo는 83에서 Presto ♩=120으로 되어 있는 것을 볼 때, 곡 머리 1의 ♩=100을 가리키는 것이라고 생각된다. 143 이후는 Tempo primo (Presto)라고 되어 있으므로, 75와는 반대로 이곳이 ♩.=120이고 150부터가 ♩=100.

❖고풍스런 미뉴에트 (1895)

일반적으로 제목에서 '고풍스런'이라고 번역되는 antique는 정확히 말하자면 '고대의'라는 뜻이다. 미뉴에트는 16세기 후반부터 시작되어 17세기 중반에 프랑스의 궁정 무곡으로 사용되었다. 따라서 서구에서 말하는 '고대'——그리스·로마 시대에는 당연히 존재하지 않았음에도 불구하고 굳이 '고대의'라는 형용사를 붙인 것은, 시대 착오임을 알면서도 저지른 라벨 특유의 짖궂은 장난이었는지도 모른다. 그리고 EN 초판 표지에는 아우로스(고대 그리스의 2관 피리)를 부는 목동의 판화가 인쇄되어 있다.

샤브리에의 〈장려한 미뉴에트(Menuet pompeux)〉를 참고했다는 이 곡은 'Majestueusement(=Maestoso)'로 시작된다. 올림바 단조이기는 하지만 첫머리를 빼면 계속 7도음이 반음씩 하강하고 있으므로, 이끎음으로서의 힘이 약한 선법적(에올리아조) 리듬이다. 당김음이 많이 사용되었기 때문에 박절이 그냥 넘어 가는 경우가 빈번하다. 전체적으로 대위법적 기법이 현저하게 발전하였지만, 조바꿈 등은 약간 상투적이다. 20세가 된 라벨은 콩세르바투와르의 아카데믹한 교육을 충분히 익힌 이른바 당당한 프로였다.

이 작품에는 앞서 설명한 '양손을 겹치는' 기법이 나온다. 특히 30 이후 부분에서는 겹치는 방법과 손가락 사용에 주의한다.

1 très marqué = molto marcato.

2 이후 왼손의 스타카토는 음표의 강건한 터치를 지시하고 있다. 이것은 ♪ 라고 쓰여 있지만 ♫ 처럼 붙임줄의 음을 동반하는 경우에도 동일하다.(음가의 문제가 아님)

9 très décidé = molto deciso '매우 단호하게'.

12 avec la sourdine '약음 페달을 밟고'. 이곳처럼 라벨은, 페달을 밟는 표시는 하고 떼는 곳을 표기하지 않은 경우가 많은데, 그것은 상식적으로 판단할 수 있기 때문이다. 14의 세번째 박자 다음부터 '약

음 페달 없이'라는 것은 자명한 사실이다.

44 en élargissant = allargando.

45 세번째 박자 다음에서 cis¹을 mute로 고쳐 이음만 남겼다.

doux(=dolce)라고 지시되어 있는 올림바 장조 부분이 Trio(여기부터 템포가 조금 상승된다는 사실에 주의할 것)이다. 앞에서 언급한 샤브리에의 작품과 현저하게 닮은 점이 드러난 부분도 있지만, 이곳의 청초하고 단아하며 품위 있는 분위기는 바로 라벨 특유의 것이다. 53에서 반복해서 46으로 돌아올 때에는 46 왼손의 cis¹은 치지 않아도 좋다.

54 sans aucune accentnation '아무런 악센트도 붙이지 않는다'.

62 63 원전에는 본서처럼 세번째 박자 다음 상단의 셋잇단음 ais 바로 아래에는 하단의 것이 인쇄되어 있으며, 하단 세번째 박자 다음의 cis는 생략된 것으로 생각된다. 이런 점에서 그의 결벽성과 생략을 싫어하는 면도 엿볼 수 있다. 이곳의 왼손 연주 시 셋잇단음과 부딪힐 때 거친 느낌이 나지 않도록 주의한다.

68 à peine alenti = un poco rallent., 단, à peine는 '가까스로'의 뜻.

69 세번째 박자 다음에 미뉴에트 주제가 왼손에 장조로 출현하여 오른손의 트리오 주제와 겹치는데, 이처럼 라벨은 재현 부분이 영화의 오버랩처럼 복수 테마와 중첩되는 수법을 즐겨 사용했다(〈소나티네〉 제2악장, 〈쿠프랭의 묘소〉의 '미뉴에트' 재현부 직전을 참조).

이 곡은 1929년에 오케스트라용으로 편곡되었다.

❖죽은 왕녀를 위한 파바느 (1899)

'파바느(pavane)'란 16세기 초반에 기원을 둔 스페인의 장중한 궁정 무용이다. 라틴어 pā vō '공작(수컷)'에서 유래하였다는 설과, 이탈리아의 도시 Padua에서 유래하였다는 설이 있는데, 둘 다 정확한 것은 아니다. '죽은 왕녀를 위한(pour une Infante défunte)'이라는 것은, 작곡자에 의하면 '단순히 -fante와 -funte의 동음이의어의 발음을 즐긴 것'일 뿐이므로 특정 인물을 가리키는 것은 아닌 것 같다. 샤브리에의 〈목가(Idylle)〉를 참고로 했다는 사실을 라벨 스스로 인정했으며, 당시 높은 평가를 받지는 못했으나, 1910년에는 오케스트레이션되었고, 1930년대에는 이것을 공식적으로 연주했다는 기록이 있다.

전체적으로 A B B' A' C C' A" 라는 론도에 가까운

형식을 취하고 있으며, 매우 불규칙한 마디 구조로 이루어져 있다(A는 2+5+5). [11], [26]~[27] 등에서 보이는 딸림 9화음의 평행은 사티의 영향일까?

오늘날 이러한 화성 진행은 이미 경음악 등의 장르에서 판에 박힌 형식이 되어 버렸지만, 당시로서는 매우 신선한 울림이었으리라. 이런 종류의 화음에서는 어떤 음 하나를 특별히 두드러지게 치지 말고 균일한 터치로 연주하는 것이 중요하다.

Assez doux, mais d'une sonorité large '충분히 돌체로, 그러나 폭 넓은 울림으로'. 템포는 카자드쉬, 페를뮤테르, 페브리에 모두 ♩=60° 정도이다.

첫머리와 같이 *pizzicato*풍의 스타카토는 반주 부분에서 페달을 너무 세게 밟지 않고 살짝 밟는다(하프 페달 정도로).

[8] *en mesure = in tempo*. [10] *un peu retenu = un poco ritenuto*. [13] *très lointain* '매우 멀리서'. [18] *soutenu = sostenuto*. [26] *un peu plus lent = un poco più lento*. [28] *reprenez le mouvement* '템포를 회복해서' [34] *rapide* '재빠르게'.

[39] 네번째 박자 다음에서부터가 상기의 C 부분, 도리아조에 의거함. *subitement très doux et très lié = subito dolcissimo e legatissimo*.

[48] *très grave* '매우 장중하게'

[60] *marquez le chant* '멜로디를 확실하게'. [70] *en élargissant beaucoup = allargando molto*.

이 곡 전체적으로 *f*, *ff*에서는 오르간이나 오케스트라처럼 풍부한 울림으로, 절대 딱딱한 '터치'가 되지 않도록 어깨부터 팔을 충분히 펴서 건반을 누르며 연주한다.

❖ 물의 장난 (1901)

라벨은 이 곡의 연주 방법에 대해 질문을 받자, 한마디로 '물론 리스트처럼'이라고 대답했다고 한다. 리스트는 피아노 기법에 있어 거장이인 동시에 대단한 소놀리티였기 때문에 자연히 라벨의 관심을 끌게 되었으며, 어떤 의미에 라벨의 피아니즘의 원천이 되었던 작곡가였다. 〈샘가에서〉 그리고 특히 〈에스테 정원의 분수〉가 없었다면 〈물의 장난〉은 태어나지 않았을지도 모른다. 라벨 스스로 이 곡에는 '순전히 피아노 기법이라는 면에서 보면 특히 새롭다고 할 것이 아무 것도 없다'고 말하고 있으나, 장2도의 겹음에 의한 아르페지오([19], [78]), 검은 건반의 글리산도([48]) 등은 당시로서는 매우 색다른 것이었고, 리스트풍 장식 속에 완전히 새로운 울림의 세계를

담았다는 점은 크게 평가받을 만하다.

음의 조직 면에서는 전곡을 통해 장7도, 장9도가 주류를 이루고, [3]~[6]의 온음계 화성, 5음 음계([19] 이하), [38]에서는 올림다 음 상의 단9딸림화음 + 겹올림 바 (이런 종류의 화음은 라벨의 트레이드 마크라고 할 만큼 그의 작품에 자주 나온다). [72]의 올림바 장조의 으뜸음과 다 장조 으뜸음의 동시 사용(이것이 바로 스트라빈스키가 말하는 '페트루슈카 화음'인데, 실제 사용은 라벨이 훨씬 먼저였다). 또한 이것과 관련된 것은 [34]의 과 의 배열 등이 있다. 이런 소재들을 구사하여 물의 다양한 움직임을 묘사하면서 고전 소나타 형식이라고 하는 테두리를 고수하였다.

템포 ♪=144는 납득할 만하며, 이보다 약간 느려도 괜찮다. 페를뮤테르에 의하면 라벨은 '너무 빠르지 않으면서 무겁지 않게'라고 주의를 주었다고 한다. 2 *Ped.*은 '좌우 양쪽 페달을 사용해서'라는 뜻이다.

[1] '나긋나긋하고 매끄럽게'(Ravel → Perl.).

[6], [7] 오른손 꾸밈음은 왼쪽의 8분음표와 맞추어야 한다.

[13] *3 cordes = tre corde* '왼쪽 페달은 발을 떼고', 그리고 *1 corde = una corda* '왼쪽 페달을 밟고'.

[18] 끝의 꾸밈음들은 박자 수 외로(즉, 이 마디는 그만큼 감정이 연장된다). 이 음들 처음 부분의 h는 이어지는 [19]에서 시작되는 제2 주제를 뒷받침하는 베이스. 따라서 꾸밈음들 처음 부분에서 페달을 밟고, [19]의 네번째 박자에서 바꿔 밟는다. [20]의 꾸밈음 h에 대해서도 동일하다. 또한 이곳부터 오른손의 2도에서는 **4 5**와 **2 3** 각각 2개의 손가락이 정확히 동시에 터치되도록 한다.

[26] 오른손의 트레몰로는 32분음표로 정확히 숫자대로 한다. 여기부터 [28]의 *rit.* 전까지 감정을 정확히, 절대 서두르면 안 된다(Ravel → Perl.).

[38] *le chant un peu en dehors* '멜로디를 약간 부각시켜'라는 지시가 있는 부분부터가 전개부이다. 이곳부터는 누구라도 서두르기 십상이나 감정 표현을 정확히 해야 한다. 라벨은 '감정의 정확함'을 강조했다. [43]의 *f*는 크게 연주해야 할지도 모르지만, 카자드쉬는 *mf*로 지시하고 있다. [44] 여기서 처음으로 *accel.*가 시작된다. [48]은 1 마디 사이에서 계속 페달을 밟는다. 검은 건반의 글리산도는 **2 3 4** 손가락을 중심으로 부드럽게 스치듯이 한다(엄지손가락을 쓰면 잡음이 나며 피멍이 생길 우려도 있다).

[49] 만약 건반이 92개 이상인 악기로 연주한다면 왼손의 A₂는 Gis₂로 하는 것이 좋다. [55], [59] 끝의 A₂에 대해서도 같다. [61] *cèdez légèrement = un poco*

riten. 아주 조금뿐이다.

70 *2 Ped. jusqu'au ❋* '❋표시까지 좌우 양쪽 페달을 밟는다'.

73 *un peu plus lent qu'au début* '처음부터도 *un poco più lento*'.

75 *très expressif = molto espressivo.* 라벨은 *molto rubato*라는 뜻으로 지시한 것이 아니었으므로 특히 주의한다(어디까지나 감정의 테두리 안에서). 76 세번째 박자 마지막의 c¹을 his로 바꿔 읽고 붙임줄로 77 까지 묶었다. 이 음이 사라지기 직전에 왼손이 H₁-H의 옥타브를 침과 동시에 페달을 밟는데, 79 끝부분의 A-e까지 페달을 바꿔 밟지 않는다. 81 *Ped. jusququ'à la fin* '끝날 때까지 페달을 계속 밟는다'. 84 , 85 에서 베이스를 다시 쳐야 한다는 주장도 있으나, 이것은 81 끝부분에서 E-H를 얼마만한 강도로 칠 것인가 하는 것과 관계가 있으므로 결정적으로는 말할 수 없다. 편집자는 여운으로서 어울리는 강도로 치도록 고쳤다. *sans ralentir = senza rallentare* '랄렌탄도로 하지 말 것'. 이 곡의 끝은 '?와 같은 뉘앙스로'(Ravel → Perl.).

❖ 소나티네 (1903~1905)

제1악장 고전 소나타 형식 올림바 단조
제2악장 미뉴에트풍 내림라 장조
제3악장 페르페툼 모빌레 토카타 올림바 단조

이상 3개의 악장을 악보의 예에서 보듯이 통일된 주제*를 써서——말하자면 순환형식으로 모아 놓았다. 제2·제3악장에서는 제1악장 제1주제가 약간 모습을 바꿔 다시 나타나, 곡 전체의 유기적 통합을 한층 더 확실히 해 준다. 양 끝 악장은 단조이기는 하나 〈고풍스런 미뉴에트〉에서도 보이듯이 7도 음이 반음 내려져 있어 선법적(에올리아조, 끝악장에서는 6도가 반음 올라가므로 도리아조)이다. 라벨은 전곡에 걸쳐 특히 중후한 텍스처와 저음역의 사용을 피하고 있어, 결과적으로 협소한 음역의 크라브상 음악이나 모차르트와 일맥상통하는 밝고 맑으면서도 상큼한 소놀리티로 어떤 기품을 나타내고 있다.

*라벨은 이 주제를 J. S. 바흐의 〈평균율〉 제2권 올림바 단조의 프렐류드에서 얻은 것으로 생각된다.

이 작품에는 특히 제1악장 첫머리와 마지막 악장 여러 부분에서 '양손의 겹쳐짐'에 의해 연주상 어려움이 발생하고 있다. 전자는 전개부에서 보듯이(31 이하) 내성의 반주 패시지를 모두 오른손에 맡겨 버리면 그 어려움을 해소할 수 있지만, 그렇게 해서는 작곡자가 바라는 음의 밸런스를 얻을 수 없다. 여기서 라벨은 옥타브의 유니즌 선율 속에서, 윗 성부가 아래 성부보다 음향상 우위에 있기를 원했던 것이다. 편집자는 연주자들의 고민거리인 2 , 6 에 한해서 하단의 음을 오른손으로 치도록 했다. 마지막 악장에서는 많은 부분의 선율음이 반주 패시지와 접촉함으로 인해 명확한 소리를 낼 수 없는 딜레마에 빠지게 된다. 손을 합리적으로 겹치는 방법과 좋은 운지법, 그리고 한쪽 손이 다른 손에 어떤 타이밍에서 건반을 넘겨주면 좋을지를 충분히 생각하여 애프터터치를 잘 이용하는 것이 최상의 해결책이다.

멜로디스트인 라벨은 이 작품에서도 그런 경향을 유감없이 발휘했다. 여기저기에 *expressif*로 지시된 우아하고 아름다운 선율이 등장하는데, '표정을 풍부하게'라는 것이 '루바토로'와 절대로 같은 것은 아니다. 라벨의 작품을 올바르게 연주하려면 고전 작품을 대할 때처럼 절도 있게, 루바토에 의지하지 말고 *expressif* '표정을 풍부하게' 연주할 줄 알아야 한다.

● 제1악장

템포 *Modéré = Moderato.* 카자드쉬는 ♩=63~69를 제안하고 있다. 편저자도 ♩=70⁻가 좋다고 생각한다. 페를뮤테르는 라벨이 '너무 빠르지 않게, 깔끔하고 루바토 없이'를 바랬다고 전한다.

3 카자드쉬의 악보 중 이 마디 두번째 박자 앞 gis²의 뒤에 라벨은 콤마(,)를 써 넣었다. 그리고 페를뮤테르는 라벨이 28a 에서 가볍게 *rit.*해서 두번째 박자 앞의 음 뒤에 순간적으로 사이를 둘 것을 요구했다고 하였다.

13 제2주제. *en dehors* '현저하게'. 이 마디 끝에서는(다음 마디에서도) '16분음표의 cis¹을 확실히 칠 것'(Ravel → Perl.). 이 제2주제는 현악 4중주 스타일에 가깝다. 아래 3성부에서는 이음줄에 주의하고, 이음줄 끝에 오는 음표를 신중하게 '꿰뚫듯이' 처리해야 한다.

20 *un peu retenu = un poco ritenuto.*

49 Animé = Animato. 52 *passioné = passionato, appassionato.* 라벨로서는 극히 보기 드문 지시이다. 피아노곡으로는 '보로딘 풍으로'의 57 과 이곳에만 나타나 있다.

82 끝부분부터의 ♪♪ ♪♩ ‖ 의 움직임이 제2악장 첫머리의 ♪♪ ♪♩를 미리 보여주고 있음에 주의해야 한다.

● 제2악장

Movement de menuet '미뉴에트 빠르기로'. ♪=120±가 편집자의 템포이다.

'나긋나긋하게, 자연스럽게'(Ravel → Perl.). 무곡 스타일을 취하고 있으며, 리듬의 엄수와 악센트에 특히 주의한다.

[1]~[3] 페달에 간격을 두고 반주 화음의 메조 스타카토를 살린다.

[13], [14] 오른손의 꾸밈음은 박자 직전에 재빠르게 친다([65], [66]에서도 동일).

[16] 마디 끝 2개의 꾸밈음 es², ges²는 '세번째 박자 다음에 칠 것'(Ravel). 이 악장에서 이들 이외의 꾸밈음은 모두 박자 상에서 치는 것이 좋다.

[27]~[32] 8분음표의 소리가 페달로 인해 흐려지지 않도록 한다.

[29], [32] 세번째 박자의 스타카토에 주의하여 확실히 끊고, 페달로 인해 스타카토 음의 길이가 길어지지 않도록 한다.

[39] 이하는 제1악장 제1주제에 근거하는 짧은 트리오와 같은 것이다. 이것의 확대형을 왼손이 연주한다. '왼손의 표정을 풍부하게'(Ravel → Casadesus, Perl.). plus lent = più lento.

[49]~[53] 오른손 내성의 반음계 진행을 의식할 것. [52] sans ralentir '랄렌탄도하지 말 것' [53]에서 미뉴에트 주제가 재현되는데, 여기서도 오른손이 [49]부터 시작되는 리듬과 피치를 연장하여 오른손에 뒤쳐지게 2마디를, 그리고 [55]에서 원래로 돌아가는 오버랩 기법이 사용되고 있다(〈고풍스런 미뉴에트〉 [69] 이후를 참조).

[65] un peu plus lent qu'au début '처음보다 조금, 보다 느리게'.

[73] ralentissez beaucoup '크게 랄렌탄도해서'.

[79] '여유 있게, 춤이 끝나고 난 후의 정중한 인사처럼'(Ravel → Perl.).

● 제3악장

Animé = Animato. 카자드쉬는 ♩=160 정도, 편집자도 이에 동의한다. '매우 빠르게, 하지만 너무 서두르지는 말고'(Ravel → Perl.). 라벨은 이 악장이 빠르게 연주되지 않는다고 불만을 토로했다고 한다. 이 악장에서는 박자와 템포가 자주 변화하므로 일관성 있는 흐름을 잃기 쉽다.

[4] très marqué = molto marcato

[12] agité = agitato. 여기서 템포를 빠르게 해서는 안 되며, 그런 기분만을 낼 것.

[37] même Mouvement tranquillo '동일한 템포로 조용하게'.

[43] a tempo란 정확히 말하면 Tempo primo이다. 악장 서두의 Animé의 템포로 돌아갈 것([146]에서도 동일).

[64] 이하의 오른손에서는 특히 16분음표의 각 음이 빠지기 쉽다.

[82] 이후의 왼손은 호른처럼. '가볍게, 금관악기 같은 음으로'(Ravel → Perl.).

[95] 이하 오른손뿐만 아니라 왼손도 능숙하게 연주해야 한다.

[159] accélérez = accelerando.

[171] 첫번째 박자에서 페달을 밟아 끝까지 계속 밟는다.

❖거 울(전5곡) (1904~1905)

1906년, 이 전집이 처음 나왔을 때는, 라벨 음악을 이해했던 사람들조차 큰 충격을 받았던 것 같다. 라벨 자신이 이에 대해 '화성면에서 커다란 변화를 보였기 때문'이라고 그 이유를 설명하였다. 특히 〈나방〉과 〈종의 골짜기〉에서 사용한 화성과 소놀리티의 실험은 당시로서는 극히 대담하고도 참신한 것이었다. 본 연주 노트는 전문적인 화성 분석의 장이 아니고, 지면도 한정되어 있는 만큼 이에 대해 자세히 살펴볼 수 없으나, 이 작곡가의 화성 중에서도 중요한 역할을 하고 있는 아포지아투라에 대해서는 조금이나마 언급하고자 한다.

앞서 〈물의 장난〉 중 [38]에서 언급했던 불협화음을 예로 들어 보면,

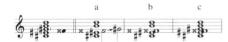

딸림9도의 구성음 gis¹에 대해서 fisis¹를 아포지아투라(appogiatura)라 한다. 이탈리아어의 appoggiarsi '의지하다, 가까이 하다, 기대다' 등의 동사에서 온 말로 '전과음, 앞꾸밈음**' 등으로 번역되는데, 말하자면 '해결되기를 기다리는 음'이라는 뜻이다. 이것은 보통 〈물의 장난〉에서처럼 해결하지만(a), 라벨은 이것을 미해결 상태 그대로 두거나(b), 해결음과 이것을 동시에 치거나(c) 하는 것을 매우 즐겨했다. 그리고 c와 같은 경우를 고전이나 바로크 시대에는 아차카투라(acciaccatura)라고 불렀다. 이상이 라벨 관계 서적에 빈번히 나오는 '해결되지 않는 아포지아투라를 갖는 화음'이라는 말에 대한 간단한 주석이다.

*독일어로는 아포지아투라를 Vorschlag라고 한다. '앞꾸

밈음'은 이것을 따른 것이다. 그러나 이 어휘는 박자 앞에서 치게 되는 장식 음표, 즉 앞꾸밈음과 혼동되기 쉬우므로 적어도 화성을 논할 때에는 피하는 것이 좋다. '긴 앞꾸밈음'이라고 하는 말도 있으나, 역시 바람직하지 않다. '앞꾸밈'이라는 개념은 버려야 한다.

화성면에서 볼 때 매우 복잡하기는 하지만, 라벨은 평생 패시지를 소홀히 하지 않았다. 〈나방〉 서두에서는 딸림9화음 평행이 화성 기능을 정지시키는 것처럼 보이지만, 결국 이들은 내림라 장조의 영역 안에 있다. 4도 중복으로 주목할 만한 〈종의 골짜기〉에서도 주음으로 쓰인 올림다 음을 볼 수 있다. 패시지 안에서 무언가 더 새로운 것을 나타내는 것——이것이 바로 라벨이 자신에게 부과한 제약 중 하나였는지도 모른다. 그리고 그는 이것을 훌륭히 완수하였다.

드뷔시와 라벨은 곧잘 '근대 프랑스 인상주의 작곡가'로 동시에 거론되곤 하지만 두 사람은 성격이 매우 다른 음악가였다. 전자가 대상을 응시함으로써 일어나는 감정·감각을 중시한 데 반해, 후자는 대상의 묘사, 즉 사실적이었다. 이 곡집 중 〈어릿광대의 아침 노래〉를 제외한 네 곡도 역시 벌레나 새를 포함한 자연 풍물의 묘사라 할 수 있다. 슈트켄슈미트는 '이 곡집에는 인상주의적이라기보다 표제 음악적인 〈거울〉이라는 타이틀이 붙어 있다'*고 했는데, 이는 분명히 '대상을 그대로 베끼는 것＝거울'이라는 의미로 붙인 것이 틀림없다.

* Hans Heinz Stuckenschmidt : Maurice Ravel, Variationen über Person und Werk, Suhrkamp Verlag, Frankfurt am Main, 1966.

◘제1곡 〈나방〉

저돌적으로 날아다니는 밤 나방, 그 종잡을 수 없고 변덕스러운 움직임을 그려내기 위해 라벨은 유동적인 복합 리듬(오른손의 반음계적으로 움직이는 16분음표들과 왼손의 셋잇단음)으로 곡을 시작한다. 여기저기서 불규칙하게 얼버무려져 넘어가는 박절, 안정됨 없이 계속 변하는 박자 표시(심한 곳은 [21]～[33]의 13 마디 사이로 $\frac{2}{4}$, $\frac{3}{8}$, $\frac{2}{4}$, $\frac{3}{8}$, $\frac{5}{8}$, $\frac{2}{4}$, $\frac{5}{8}$, $\frac{6}{8}$). 화성은 상당히 복잡하나 경과음이나 전과음 그 외의 비화성음과 좌우의 맞물림, 당김음 등을 빼고 예를 들면 [1]～[3]은 대강 다음과 같다.

또한, [14]～[18]은 다음과 같다.

이와 같이 화성 진행의 골격을 대충 파악하고 나면 의외로 이해하기 쉽다. 가능하다면 연주자는 대강이라도 전 곡의 골격을 위와 같이 기초 조사하기 바란다(화성에 대한 웬만한 지식과 열성이 있다면 그리 어려운 일은 아니다). 전 곡은 ABA의 3형식으로 이루어져 있다.

Très léger(♩＝128 environ)＝Leggierissimo, environ은 '대강, 약'.

[1] [2] 라벨은 페를뮈테르에게 **pp** ＜ **pp** ＜, 즉 *subito* **pp** 를 매우 강조했다. 여기서는 각 마디 끝에서 페달을 확실히 떼고, 울림에 간격을 줄 필요가 있다. [4]에서는 조바꿈하여 음색을 바꾼다. [3]의 끝부분에서도 잠시 숨을 돌릴 시간이 필요하다. 이상은 물론 각 마디 사이의 흐름을 끊는다는 뜻이 아니므로 오해 없기 바란다.

[6] 첫번째 박자는 일곱잇단음이기는 하지만, 첫번째 박자 다음의 8분음표 f¹은 des¹과 동시에 친다.

[9] 이음줄이 붙은 2도 스타카토에서는 페달을 살짝 밟아, 그림 물감이 번지는 듯한 느낌으로 친다.

[21]～[22], [24]～[25]의 *expressif* 를 라벨은 [23], [26]으로써 그것을 차단하는 하나의 돌풍과 같이 연주했다(Perl.). $\frac{3}{8}$ 의 3개의 8분음표에서 **pp** ＜ **f**. [33]에 라벨이 잘 사용하지 않은 *poco rubato* 라는 지시가 있는데, 이는 여기서 일단 템포를 조금 떨어뜨리고 상승함에 따라 *accel.*하여 [36]까지 끌고 간다는 의미이다. 여기부터는 왼손과 오른손의 악센트를 잘 보고 분명하게 헤미올라(hemiola)시킨다. [36]의 리스트적인 패시지는 **ppp** 로 '흐르는 듯이'(Perl.).

[37] pas trop lent＝lento ma non troppo. 이 마디부터 중간부(B부분)이다. **mf** ＞ 에서 울림을 분명히 안정시켜 *sombre et expressif*의 주제를 맞이한다. *sombre* '어두운 분위기로, 음울하게'. 오른손 화음이 여기서부터 각각의 화음에 있는 3개의 음을 고르게 치우침 없이 연주하며, 특별히 소프라노 소리를 내는 않는다. [44] 마지막부터 상단 4화음의 제일 아래 성부에는 별도로 하향 기둥이 붙어 있다. 이들 음표는 왼손으로 처리하며, 위 3성보다는 조금 더 분명하게 연주한다. [61] *revenez au premier mouvement* '처음 템포로 돌아간다'.

[63]부터 재현부(A부분)이다. 나방의 움직임과 그에 의해 차단되는 중성의 서정적인 음악의 단편이라고 할 수 있다. [80]～[81]은 계속해서 페달을 밟는다. [82]에서 이것을 확실히 떼면 긴 ＞ 가 손상

된다. 여기서는 짧게 여러 번 페달을 바꿔 밟는 것이 제일 좋다(flattering, 트릴과 같이 바꿔 밟는다). 120 트레몰로의 오른손 최고음은 as³, 모든 판에는 이것이 b³로 오기되어 있다(교정 보고 참조).

121 presque lent=quasi lento. 126 이후 좌우 손의 상호 운동으로 생기는 반음계 진행이 조금 나타난다. 물론 맨 마지막에는 *rit.*가 없다.

◻제2곡 〈슬픈 새〉

작곡자 자신이 '곡집 중 제일 먼저 완성한 가장 전형적인 곡'이라고 한 작품이다. '전형적'이라는 진의를 잘 모르겠으나, 이 작품이 거울에 비친 영상이라고 부르기에 어울린다는 뜻이 아닐까 생각된다. 여기서 지저귀는 것은 우리가 볼 수 있는 검정 티티새와 같은 종류로, 수컷이 미성을 낸다고 한다.

1 의 반복음에서는 점4분음표를 8분음표의 여운보다 약하게 친다. 즉, 제1음을 치고 키가 완전히 제자리로 돌아오기 전에(애프터 터치를 이용) 제2음을 치는 것이다(이하 전곡 동일). 베토벤의 작품 '110번 소나타'와 같은 기법을 취한 부분도 있다.

2 라벨은 새들의 지저귐을 나타내는 음형을 기보대로 연주하지 말라고 지시하였다. 페를뮤테르의 악보 이 부분에 그는 '*plus bref*, 더 짧게'라고 표시하였다. 하지만 기보에 구애받지 말고 자유스럽고 재빠르게 장음까지 가도 좋다. R. 니콜스에 의하면 라벨 자신이 연주(피아노롤)할 때는 8 에서 32분음표가 빠르게 연주되므로 셋잇단음과 전혀 맞지 않았다고 한다. 그리고 그것이 기보되어 있는 리듬보다 더욱 진짜 새 같았다고 한다. 그리고 라벨은 이곳(8)의 두번째 박자($\frac{4}{4}$로 해서) 다음부터 시작되는 셋잇단음 음형을 오른손으로 치도록 지시하고 있으나, 편집자는 이것을 왼손으로 다루고, 소프라노 as²를 오른손으로 계속 진행하는 것이 좋다고 생각한다(22 에서도 동일).

15 *pressez* '긴박하게, 급하게'. 여기서부터 오른손에 나타나는 8도 반음의 분산은 통렬할 정도이다. 좌우 모두 충분한 소리를 내도록 한다.

25 lent, *presque ad lib.*의 lent는 처음 온음표에만 해당되고, 꾸밈음들은 자유롭고 시원하게 친다(Ravel → Perl.). *pressez légèrement*의 *légèrement*란 *un poco*의 의미이다. '가볍다'는 뜻이 아니다.

29 오른손 세번째와 네번째 박자의 >가 붙은 화음에서는 후속음을 화음의 울림(여운) 속에서 치는데, 이들 후속음은 약하더라도 잘 들리게 쳐야 한다(Ravel → Perl.). encore plus lent=ancora più lento '더욱 느리게'.

이상 이 작품의 연주 노트를 보면, 연주자에게 기보대로 하지 말고 자유롭게 연주할 것을 요구하고 있다. 이러한 점은 라벨로서는 매우 드문 예라고 할 수 있다.

◻제3곡 〈바다의 조각배〉

전5곡 중 가장 전통적인 기법을 취하고 있으며, 리스트풍의 관현악적인 곡이다. 라벨은 이것을 1906년에 오케스트레이션했다. 〈물의 장난〉에 이은 물과 관련된 제2의 피아노곡으로, 피아노 건반이 좁다는 듯한 아르페지오와 끊임없이 페달을 사용하여 유동체를 묘사하고 있으며, 〈물의 요정〉에서는 이 기법이 보다 치밀하게 완성되었다.

D'un rythme souple '나긋나긋한 리듬으로'라고 지시된 $\frac{6}{8} \frac{2}{4}$라는 복합 박자로 시작되는데, 속도는 오케스트라판의 ♩=약 58을 참고하면 된다. '급하게, 너무 빠르지는 않게'(Ravel → Perl.). *très enveloppé de pédales* '페달로 둘러싸여있다'는 의미로, 여기서는 '좌우 양측 페달을 사용하여 극히 감정이 담긴 울림으로', 즉 음을 부드럽게 해서 아련하게 함을 말한다. 4 부터는 내성으로 양 엄지손가락으로 연주되는 *en dehors* '특별히 두드러지게'라는 지시가 붙은 gis¹, cis²(8 이하에서는 +e², gis¹, fis¹) 음형이 나타난다. 이것은 첫머리 모티브의 확대 반진행형이다. 라벨은 페를뮤테르의 보면에 '부드럽게, 누군가를 부르듯이'라고 써 놓았다. 또한 이 4 상단 다섯번째 박자의 cis²-gis²의 cis²는 붙임줄로 네번째 박자와 묶여 있어, 이것을 다시 친다는 주장도 있으나, 편집자는 이에 동의하지 않는다(6 , 8 이외 이와 같은 곳에서도 동일하다). 11 , 12 에서는 좀더 자세히 $\frac{9}{8} \frac{3}{4}$으로 표시해야 한다. 즉, 이곳의 $\frac{3}{4}$에서의 4분음표는 $\frac{6}{8} \frac{2}{4}$ 가운데 $\frac{2}{4}$와 같으므로 착각하지 않도록 주의해야 한다.

38 , 40 , 42 의 큰 굴곡 패시지에서는 '각 굴곡 앞에서 잠시 정지하여야 하며, 뒤에서(68 , 70 , 72 , 111 , 113 , 115 의 앞)도 동일하다'(Ravel → Perl.). 여기서는 파도 머리의 제일 높은 음에서 좌우 음을 바꿔 치거나 양손의 분배를 변경하면 연주가 쉬워지지만, 편집자는 적어도 본서에서는 이런 변경을 최소한으로 줄였다.

44 오른손 검은 건반의 글리산도는 사용되는 악기의 작동 장치가 견고한 것이라면 손가락을 쓰듯이 쳐도 좋다. 왼손 제1음 Gis₂는 건반이 88개인 악기에는 존재하지 않으므로, A₂로 대용해도 무방하다(라벨은 이 곡의 39 , 41 , 92 및 〈물의 장난〉의 49 그 외에서 Gis₂ 대신 A₂를 쓰고 있으나 건반이 92개

이상 되는 악기에서는 Gis₂를 쳐야 한다).

79 오른손의 두번째 박자 앞은 원본에 이렇게 되어 있지만, 편집자는 SO²와 같이 로 치는 편이 좋다고 생각한다.

82 에서 시작되는 오른손의 32분음표의 음형은 그다지 힘든 것은 아니나, 몇 번씩 반복하다 보면 부정확하게 되기 쉽다. 왼손이 쉬고 있는 곳에서는 이 음형에서 8이라는 숫자가 걸리지 않은 5개의 음을 왼손에 맡길 수도 있다.

83 *sans nuances* '뉘앙스를 더하지 말고'. 98 ~ 102 상단에서는 여러 판에서 각 마디의 네번째 박자 음형에 미스 프린트가 많다. 특히 102 제일 마지막 박자에서는 모든 판에 틀린 곳이 많이 있으므로 주의해야 한다(교정 보고 참조). 99 *augmentez peu à peu* '점점 (울림을) 크게 함'.

103 첫머리에서는 오른손 음형의 시작을 1 옥타브 위에서부터 해야 할 것 같다:

109 *le trémolo très fondu* '트레몰로를 (페달로) 잘 융화시켜서'.

117 라벨은 페를뮤테르의 보면에 '하프와 같이'라고 써 넣었다.

134 여기서부터 끝까지 기보대로 *in tempo*로 연주한다. 기보대로 연주하면 *ritard.* 하는 것처럼 들린다.

◆ 제 4 곡 〈어릿광대의 아침 노래〉

앞에 나온 세 곡의 유동적 분위기와 페달의 안개에 싸인 차분하고 점잖은 울림이 Alborada del gracioso(스페인어)로 표시되는 건조한 기타의 스타카토, 시골스러운 스페인풍 리듬(헤미올라가 많이 사용된다)과 날카로운 악센트에 의해 한순간에 사라진다. 〈그로테스크한 세레나데〉에서도 언급했듯이, alborada(aubade)란 말은 원래 옛날 음유 시인이 기사와 그 연인의 이별을 노래한 '이별의 아침 노래'라는 뜻이며, *sérénade*와는 반대되는 말이다. 그러나 슈트켄슈미트의 의견으로는 라벨이 이 곡에서 생각했던 알보라다는 스페인 북부 카리시아 지방에 기원을 둔 일종의 세레나데가 아니었을까 하는 것이다. 라벨은 종종 작품에 희한한 제목을 붙여 사람들을 혼동시키는 버릇 같은 것이 있었으므로, 이것도 그런 속임수일지 모른다. 어느 쪽이라고 단정하기는 어려우나 이 작품에서 쉽게 연상되는 것은 안달루시아(남 스페인) 춤이며,

악곡 형식도 알베니스나 그라나도스 음악에서 자주 볼 수 있는 형식으로, 중간(B부분)에 코플라(가창) 부분을 두는 ABA 형식을 취하고 있다(단, 이 곡의 중간부는 연주한다기보다는 읊조리는 듯——레시터티브——하다).

라벨은 D. 스카를라티의 경우처럼 건반을 큰 기타로 사용했다. 이 곡의 스타카토나 반복음은 모두 기타의 주법에 따랐다. 그 중에서도 반복음과 겹음의 글리산도는 〈어릿광대〉 고유의 어려운 기교로 유명한데, 후자에 대해서는 라벨의 엄지손가락이 땅딸막하게 굳어진 모양을 하고 있어, 건반 위를 겹음으로 스치듯이 연주하기에 적절했다는 이야기가 전해지고 있다. 1918년에 만들어진 이 곡의 오케스트레이션은 피아니스트가 참고하기에 매우 좋은 자료가 된다. 그것은 여기서 사용되는 타악기들이 다양하여 일반적 편성의 팀파니, 큰북, 작은북에 더해진 트라이앵글, 바스크 큰북, 캐스터네츠, 심벌즈, 실로폰 등으로——라벨이 이 작품에서 리듬을 얼마나 중시했던가를 확실히 알 수 있을 것이다. 또한 126 부터 나오는 의 리듬은 오케스트라판에서는 로 바뀌어져 있으나, 마르그리트 롱은 피아노 연주시에도 이 리듬을 쓰도록 제안했다고 한다.

Assez vif = Assai vivo, Vivace assai '마음껏 활발히, 충분히 빠르게'.

1 여기서부터 다섯번째 마디 사이의 >는 첫번째와 네번째 박자에 있다. 는 절대 로 들리지 않도록 한다(전곡에 걸쳐 유사한 곳에서 주의할 것). *sec les arpèges très serrés* '건조하게, 아르페지오는 매우 긴장하게' 즉, 짧게 여운을 남기지 말고, 아르페지오를 날카롭고 재빠르게 하라는 뜻이다. 기타의 현을 뜯는 동작을 연상하면 된다. 6 에서는 선율선을 확실히.

14 , 18 그 외에서는 텍스트에 표시된 대로 오른손의 세번째 박자 혹은 네번째 박자에 있는 내성음은 왼손을 쓰면 연주하기 쉽다. 36 제일 뒤에서는 의 선을 분명하게 연주한다. 42 라벨은 페를뮤테르의 악보에 이 반복음 부분을 '가볍게, 플루트처럼'이라고 써 놓았으나, 오케스트라판에서는 이곳이 트럼펫의 폐쇄음으로 되어 있다(52 에서 플루트로 옮겨진다).

plus lent(= più lento)라는 지시가 있는 71 부터가 중간 부분이다. *expressif en recit.* '레시터티브풍으로 표정을 풍부하게'. 오케스트라에서 이 멜로디는 파곳 담당이다. 74 꾸밈음의 cis¹과 2분음표는 붙임줄로 묶여져 있다. 그리고 본음표는 고쳐서 치면 안 된다(80 , 86 등에서도 동일). 또 이들 꾸밈음은 물론

박자 내에서 친다. [75] *très mesuré* '아주 정확히 계산하여'. 여기는 1ᵉʳ Mouvement(=Tempo primo) ♪ = ♪로 되어 있다. 즉, 곡 머리의 Assez vif의 tempo에서 ♪=♪. 많은 피아니스트가 이를 하찮게 여기기 때문에 페를뮤테르는 '지시대로'라고 다시 확인을 하고 있다. '멀리서 들려오는 두런거림처럼'(Ravel → Perl.). [79] *enlevez la sourdine* '약음 페달을 떼고'. [100] 라벨은 '여기서부터 조금 *accel.*해서 [106]까지 연결되듯이'라고 카자드쉬에게 요구했다. [107] *le chant* **mf** *très expressif* '멜로디는 **mf**로 표정을 매우 풍부하게'.

[111] *très rythmé=molto ritmato* '매우 리드미컬하게'. [126]은 '32분음표들은 자유롭고 매우 풍부한 표정으로' 카자드쉬에게 요구하고 있다. 따라서 앞서 언급했던 오케스트라판 리듬 및 마르그리트 롱의 의견을 종합하여 생각해 볼 필요가 있을 것이다. [175]에서 겹음 글리산도가 등장한다. 반드시 라벨의 운지법만을 고수할 것이 아니라 연주자 나름대로 편리한 손가락을 써도 좋다. 손가락이 음정을 확보한 다음 진행 방향으로 눕혀서 팔 근육의 경직을 확실히 제거한 상태가 되면 옆으로 당긴다. 연습할 때에는 왼손을 확실히 기억한 뒤에 이 *gliss.*를 맞추어야 한다. 이 단계에서도 *gliss.*는 단음이라도 좋다. 오른손이 겹음을 스치듯 연주하는 요령을 터득하지 않은 채 양손 연습을 하는 어리석은 행동은 하지 않는 것이 좋다. 손가락만 아프게 할 뿐이다. 라벨은 '글리산도를 단음으로 치든 겹음으로 치든 그것이 그리 대수로운 일은 아니다. 왜냐하면 그것은 건반에 좌우되기 때문이다'라고 했다. [180] 이 마디는 짧아지기 쉽기 때문에 잘 생각하여야 한다.

[200] *cédez très peu* '아주 조금 *riten.*'. [201] *revenez au mouvement* '템포로 돌아가서'. [203] *très marqué* '매우 *marcato*로'. [225] 템포를 떨어뜨리면 안 된다.

◘제5곡 〈종의 골짜기〉

이 곡에는 모두 다섯 종류의 종소리가 나온다 :

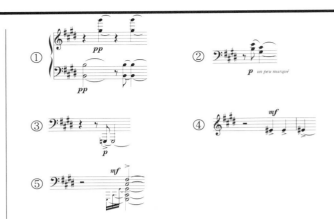

완전4도 음정은 이 곡의 기조이며, ②와 ⑤의 종소리뿐만 아니라, 전곡에 걸쳐 배경으로 사용되고 있다. [3]부터의 16분음표의 진행, [24] 이하 2개의 완전4도의 축적에 의한 셋잇단음의 반주 음형——얀켈레비치*는 이 작품을 '4도의 송가'라고 불렀다. 이들 다섯 종류의 종소리는 각각의 리듬으로 짜여져, 각각이 고유의 울림과 거리감을 갖는다. 연주를 할 때는 예민한 청각과 정교한 터치, 교묘한 페달링, 그리고 무엇보다도 전곡에 넘쳐 흐르는 시적 분위기에 걸맞는 감성이 필요하다.

[3] *très doux et sans accentuation* '매우 부드럽게, 악센트 없이'.

[11] 마디 맨 마지막까지 페달을 밟고, 다음 마디에서 바꿔 밟는다(페를뮤테르). [12] *très calme* '매우 조용하게'.

[19] *largement chanté* '폭넓게 (느긋하게) 연주함'. 여기서부터는 멜로디스트인 라벨의 면모를 드러내지만 너무 로맨틱해지지 않도록 한다. 그리고 표정을 줄 때에는 절도 있게 한다.

[50] 여기서 처음으로 ⑤의 종이 울린다. 라벨은 이곳에 대해 페를뮤테르에게 강한 악센트를 주도록 지시했다. 여기부터 끝까지 *dim.*이기는 하나 작곡가가 **mf**, **mp**, **p**, **pp**라고 음량과 관련하여 세심한 기보를 한 것에 주목해야 한다.

* Vladimir Jankélévitch: Ravel, Solfèges, Seuil, 1956. 프랑스어로 '장케레비치'라고 표기하기도 한다.

■春秋社版/세계음악전집 목록

* 표시는 미출간 도서

No.	도서명	작품명	No.	도서명	작품명
1	바로크 피아노곡집	륄리 / 쿠프랭 / 라모 / 다캥	39	브람스 2	스케르초 / 발라드 / 왈츠 / 피아노곡 / 랩소디 / 환상곡 / 간주곡
2	스카를라티 1	소나타집 제1권(전50곡)	40	리스트 1	소나타 / 폴로네즈Ⅱ / 발라드Ⅱ / 메피스토 왈츠Ⅰ / 즉흥곡 왈츠 / 잊어버린 왈츠 제1번 / 위로 / 2개의 전설
3	스카를라티 2	소나타집 제2권(전50곡)	41	리스트 2	사랑의 꿈 / 시적이며 종교적인 선율 / 순례의 연보 제1년 / 순례의 연보 제2년 / 베네치아와 나폴리–순례의 연보 제2년 보유 / 순례의 연보 제3년
4	스카를라티 3	소나타집 제3권(전50곡)	42	리스트 3	초절 기교 연습곡 / 파가니니에 의한 대 연습곡 / 3개의 연주회용 연습곡 / 2개의 연주회용 연습곡
5	바흐 1	평균율 클라비어곡집 제1권	43	리스트 4	헝가리 랩소디(15곡) / 스페인 랩소디
6	바흐 2	평균율 클라비어곡집 제2권	44	리스트 5	피아노 독주용 개편곡집
7	바흐 3	프랑스 조곡 / 영국 조곡	45	리스트 6	연주회용 패러프레이즈집
8	바흐 4	2성부 인벤션 / 3성부 신포니아	46	차이콥스키	소나타 / 사계 / 무언가 / 로망스 / 유모레스크 / 야상곡 외
9	바흐 5	파르티타 / 프랑스 서곡 / 이탈리아 협주곡 / 반음계적 환상곡과 푸가 / 카프리치오	47	드뷔시 1	2개의 아라베스크 / 베르가마스크 조곡 외
10	바흐 6	토카타집	48	드뷔시 2	판화 / 환희의 섬 / 영상 제1, 2집 / 조곡 '어린이 차지' / 12개의 연습곡집
11	헨델	조곡집 / 3개의 연습곡 / 샤콘느와 변주곡 / 환상곡 / 푸가	49	드뷔시 3	전주곡집 제1, 2권
12	하이든	소나타집 / 주제와 변주 / 안단테와 변주 / 환상곡 / 카프리치오	50	포레 1	야상곡집 (전11곡)
13	모차르트 1	소나타집 제1권(전10곡)	51	포레 2	뱃노래집(13곡)
14	모차르트 2	소나타집 제2권(전9곡)	52	포레 3	주제와 변주 / 즉흥곡집(전6곡) / 전주곡집(전9곡) / 마주르카
15	모차르트 3	변주곡집 / 소곡집	53	포레 4	발라드 / 발스·카프리스 / 무언가 / 소품집
16	베토벤 1	소나타집 제1권(전11곡)	54	포레 5*	듀엣곡집 / 마스크와 베르가마스크 / 환상곡
17	베토벤 2	소나타집 제2권(전12곡)	55	스크랴빈 1	소나타집 제1권
18	베토벤 3	소나타집 제3권(전9곡)	56	스크랴빈 2	소나타집 제2권
19	베토벤 4	변주곡집(전10곡)	57	스크랴빈 3	에뛰드
20	베토벤 5	바가텔집 / 전주곡 / 론도 / 환상곡 / 폴로네즈 / 안단테 / 엘리제를 위하여 / 에코세즈	58	스크랴빈 4	전주곡집
21	베버	소나타집 / '오라, 아름다운 도리나 벨라'에 의한 변주곡 / 모멘트 카프리치오소 / 화려한 론도 / 무도에의 권유 / 화려한 폴로네즈	59	스크랴빈 5*	마주르카와 즉흥곡집
22	슈베르트 1	소나타집 제1권(전6곡)	60	스크랴빈 6	시곡집 / 알레그로 아파시오나토 / 연주회용 알레그로 / 환상곡 / 환상곡(2대의 피아노) 유작
23	슈베르트 2	소나타집 제2권(전5곡)	61	스크랴빈 7*	소품집
24	슈베르트 3	환상곡 / 즉흥곡 / 악흥의 한때	62	시마노프스키 1	9개의 전주곡 / 변주곡 / 4개의 연습곡 / 소나타 제1번
25	멘델스존 1	소나타 / 엄격 변주곡 / 안단테와 변주곡 / 기상곡 / 론도 카프리치오소 / 3개의 환상곡 또는 기상곡 / 전주곡과 푸가 / 어린이를 위한 소곡집 / 3개의 연습곡 / 안단테 칸타빌레와 프레스토 아지타토	63	시마노프스키 2	폴란드 민요에 의한 변주곡 / 환상곡 / 전주곡과 푸가 / 소나타 제2번
26	멘델스존 2	무언가집	64	시마노프스키 3	메토프 / 12개의 연습곡 / 가면극 / 소나타 제3번
27	쇼팽 1	소나타집 / 발라드집 / 즉흥곡집	65	시마노프스키 4	마주르카집 / 발스 로맨틱 / 4개의 폴란드 무곡 / 2개의 마주르카
28	쇼팽 2	환상곡 / 스케르초집 / 녹턴집	66	생상스	카프리스 외
29	쇼팽 3	왈츠집 / 마주르카집	67	알베니스 1	이베리아 제1, 2권
30	쇼팽 4	24개의 전주곡집 / 전주곡 / 12개의 연습곡집 / 3개의 연습곡	68	알베니스 2	이베리아 제3, 4권 / 나바라
31	쇼팽 5	폴로네즈집(전11곡)	69	알베니스 3	아라곤 – 호다 아라고네자 / 세레나다 에스파뇨라 / 조곡 〈스페인 노래〉(전5곡) / 스페인 조곡(전8곡)
32	쇼팽 6	론도 / 마주르카풍 론도 / 화려한 변주곡 / 변주곡 / 볼레로 / 타란텔라 / 연주회용 알레그로 / 자장가 / 뱃노래 / 장송 행진곡 / 3개의 에코세즈	70	라벨 1	그로테스크한 세레나데 / 고풍스러운 미뉴에트 / 죽은 왕녀를 위한 파반느 / 물의 장난 / 소나티네 / 거울
33	슈만 1	소나타 / 대소나타 / 프레스토 / 스케르초	71	라벨 2	밤의 가스파르 / 하이든의 이름에 의한 미뉴에트 / 우아하고 감상적인 왈츠 / 전주곡 / 쿠프랭의 무덤
34	슈만 2	나비 / 다윗 동맹 무곡집 / 사육제 / 어린이 정경 / 크라이슬레리아나 / 빈사육제의 어릿광대	72	바르토크 1	2개의 엘레지 / 2개의 루마니아 무곡 / 4개의 만가 / 알레그로 바르바로 / 소나티네 / 루마니아 민속 무곡 / 루마니아의 크리스마스 노래 / 모음곡
35	슈만 3	아베크 변주곡 / 토카타 / 알레그로 / 변주곡 형식에 의한 교향적 연습곡 / 아라베스크 / 꽃노래 / 노벨레테	73	바르토크 2	15개의 헝가리 농민가 / 3개의 연습곡 / 헝가리 농민가에 의한 즉흥곡 / 피아노 소나타 / 창 밖에서 / 민요 선율에 의한 3개의 론도
36	슈만 4	환상 소곡집 / 환상곡 / 유모레스크 / 야상곡집 / 3개의 로망스 / 숲의 정경	74	바르토크 3	랩소디 / 치크 지방의 3개의 민요 / 14개의 바가텔 / 7개의 스케치 / 3개의 부르레스크 / 무용조곡 / 9개의 피아노 소품
37	슈만 5	어린이를 위한 앨범 / 다채로운 작품 / 음악 수첩	75	러시아 5인조*	보로딘 / 큐이 / 발라키레프 / 무소륵스키 / 림스키코르사코프
38	브람스 1	소나타집 / 변주곡집			

※ 세계음악전집은 계속 이어집니다.